LA 11e ET DERNIÈRE HEURE

DU MÊME AUTEUR :

Dans la série « Alex Cross » :
Le Masque de l'araignée, Lattès, 1993.
Et tombent les filles, Lattès, 1995.
Jack et Jill, Lattès, 1997.
Au chat et à la souris, Lattès, 1999.
Le Jeu du furet, Lattès, 2001.
Rouges sont les roses, Lattès, 2002.
Noires sont les violettes, Lattès, 2004.
Quatre Souris vertes, Lattès, 2005.
Grand Méchant Loup, Lattès, 2006.
Des nouvelles de Mary, Lattès, 2008.
La Lame du boucher, Lattès, 2010.
La Piste du Tigre, Lattès, 2012.
Moi, Alex Cross, Lattès, 2013.

Dans la série « Women Murder Club » :
Souffle le vent, Lattès, 2000.
Beach House, Lattès, 2003.
1er à mourir, Lattès, 2003.
2e Chance, Lattès, 2004.
Terreur au troisième degré (avec Maxine Paetro), Lattès, 2005.
4 Fers au feu (avec Maxine Paetro), Lattès, 2006.
Le 5e Ange de la mort (avec Maxine Paetro), Lattès, 2007.
La 6e Cible (avec Maxine Paetro), Lattès, 2008.
Bikini, Lattès, 2009.
Le 7e Ciel (avec Maxine Paetro), Lattès, 2009.
La 8e Confession (avec Maxine Paetro), Lattès, 2010.
Le 9e Jugement (avec Maxine Paetro), Lattès, 2011.
Le 10e Anniversaire (avec Maxine Paetro), Lattès, 2012.
La Diabolique, Lattès, 1998.

www.editions-jclattes.fr

James Patterson

LA 11e ET DERNIÈRE HEURE

Roman

Traduit de l'anglais
par Nicolas Thiberville

JC Lattès

Collection « Suspense et Cie »
dirigée par Sibylle Zavriew

Titre de l'édition originale :
11th HOUR
Publiée par Little, Brown and Company, New York, NY.

Maquette de couverture : Bleu T
Photo : Carolyn Fox/Arcangel

ISBN : 978-2-7096-4285-9

Première édition novembre 2013.

PROLOGUE

LE VENGEUR

1.

Au dernier rang de l'auditorium de la très chic Morton Academy of Music était assis un homme âgé d'une quarantaine d'années, séduisant. Il portait un costume bleu, une chemise blanche et une luxueuse cravate à rayures. Son visage était relativement commun dans le genre avenant, mais derrière les verres teintés de ses lunettes, ses yeux marron brillaient d'un éclat remarquable.

Venu seul pour assister au récital, il eut une brève pensée pour sa femme et ses enfants restés à la maison, mais très vite, son attention se reporta sur Noelle Smith – une jolie fillette de onze ans, violoniste talentueuse, qui venait d'exécuter avec brio une gavotte de Bach.

Noelle savait qu'elle s'en était très bien sortie. Elle s'inclina en souriant devant les deux cents parents qui acclamaient sa performance.

Comme les applaudissements s'éteignaient, un homme aux cheveux gris, assis au troisième rang, se leva, boutonna sa veste et remonta l'allée centrale en direction du hall d'entrée.

C'était Chaz Smith, le père de Noelle.

L'homme au costume bleu laissa passer quelques secondes puis se dirigea à son tour vers la sortie en prenant soin de conserver une distance de plusieurs mètres avec Smith. Il longea le couloir au sol carrelé, tourna à droite après la fontaine à eau et suivit l'homme qui venait d'entrer dans les toilettes.

Une fois à l'intérieur, il jeta un œil alentour et repéra les mocassins italiens de Chaz Smith, visibles sous la porte de l'un des box. Il n'y avait personne d'autre. D'ici une minute ou deux, l'endroit serait bondé.

Sans perdre un instant, l'homme au costume bleu s'empara de la poubelle métallique posée près du lavabo et la plaça devant la porte pour la bloquer.

— Monsieur Smith ? appela-t-il. Désolé de vous déranger, mais il y a un problème avec votre voiture.

— Comment ça ? Qui me parle ?

— Votre voiture, monsieur Smith. Vous avez oublié d'éteindre vos phares.

L'homme au costume bleu empoigna le calibre .22 semi-automatique dissimulé dans la poche de sa veste, y vissa un silencieux, puis sortit un sac plastique semblable à ceux distribués dans les supermarchés et en enveloppa son arme.

Smith tira la chasse d'eau en grommelant et ouvrit la porte. Ses cheveux gris étaient décoiffés et des traces de poudre blanche cerclaient ses narines. L'indignation se lisait sur son visage.

— Vous êtes certain qu'il s'agit de ma voiture ? grogna-t-il. Ma femme va me tuer si je ne suis pas de retour pour le finale.

— Navré d'infliger ça à votre femme et à votre fille. Noelle a joué à merveille.

L'espace d'une seconde, Smith afficha un air perplexe – puis il comprit. Il lâcha sa fiole de cocaïne et plongea la main sous sa veste. Trop tard.

L'homme au costume bleu brandit son arme recouverte d'un sac plastique et abattit Smith de deux balles entre les yeux.

2.

Une longue seconde s'écoula, semblable à une fleur blanche en train d'éclore dans la pièce au carrelage bleu.

Smith observa son assassin, ses yeux bleus grands ouverts, son visage figé dans un masque d'incrédulité, les deux impacts au niveau de son front libérant des flots de sang. Il était encore debout mais son cœur avait cessé de battre.

Chaz Smith était mort et il le savait.

Le tueur tendit la main pour le pousser en arrière et l'homme s'écroula sur le siège des toilettes. Sa tête heurta le mur avant de retomber mollement.

Mort sur le trône, une fin parfaite pour cette crevure de Chaz Smith.

— Tu le méritais. Tu méritais même pire, connard.

Tout s'était passé comme sur des roulettes. Il ne restait plus qu'à prendre le large.

Le tueur rangea dans la poche de sa veste le sac plastique contenant les douilles et le pistolet, puis referma la porte du box.

Il plaça ensuite la poubelle métallique devant la porte des toilettes pour que les gens croient la pièce temporairement condamnée.

Un bruissement parvint soudain à ses oreilles. Les portes de l'auditorium venaient de s'ouvrir. Il reprit le couloir en sens inverse et tourna à gauche à l'instant où les gens arrivaient dans le hall en discutant et en rigolant. Personne ne fit attention à lui, mais même si sa présence avait été remarquée, personne n'aurait fait le lien avec le cadavre dans les toilettes.

Sur le mur, à côté d'une porte surmontée d'un panneau SALLE DES PROFESSEURS, était installé un boîtier d'alarme incendie.

Après avoir enroulé son mouchoir autour de sa main, il ouvrit le boîtier, prit le marteau pour briser la vitre et actionna l'alarme. La sonnerie retentit dans le bâtiment.

Il se dirigea aussitôt vers le hall d'entrée et se fondit dans la foule.

Les gamins couraient déjà dans tous les sens en hurlant. Affolés, les parents appelaient leurs enfants, les attrapaient par la main ou les prenaient dans leurs bras pour se précipiter vers la sortie.

L'homme au costume bleu suivit le mouvement général et franchit les portes donnant sur California Street. Il poursuivit sur sa lancée, s'engagea dans une rue transversale, passa à côté de la Ferrari de Chaz Smith puis, parvenu devant son SUV, déverrouilla les portières et s'installa au volant.

Il démarra et roula lentement jusqu'à l'école. Parents et enfants faisaient face au bâtiment, les yeux rivés sur le toit, guettant la fumée et les flammes.

Ils l'ignoraient, pourtant ils étaient maintenant tous bien plus en sécurité.

Chaz Smith n'était que l'une de ses nombreuses cibles. Les médias avaient commencé à répertorier ses victimes – toutes connues pour être des trafiquants de drogue. Un journal lui avait même trouvé un surnom, qui lui était resté : le Vengeur.

Les camions dc pompiers arrivaient de la 32e, et le Vengeur appuya sur l'accélérateur. Ce n'était pas le moment de se retrouver coincé dans un embouteillage.

Il avait encore des courses à faire avant de regagner sa maison, où l'attendait sa famille.

PREMIÈRE PARTIE

LA MAISON AUX CRÂNES

1.

Lovée contre son homme dans le lit de sa mère, Yuki Castellano ouvrit les yeux. Si elle était en plein rêve, alors c'était un rêve plutôt cocasse.

Elle se sourit à elle-même en visualisant sa défunte mère assise dans le fauteuil vert près de la commode, une moue désapprobatrice sur le visage – et, comme cela se produisait parfois, elle entendit sa voix.

C'est un mari qu'il te faut, Yuki. Pas un amant.

Il est génial, maman. Vraiment génial.

Il est surtout marié.

Séparé !

Jackson Brady s'agita à côté d'elle et l'attira au creux de ses bras. Il souleva ses cheveux et déposa un baiser sur sa nuque.

— Il est encore tôt, fit-elle. Tu peux te rendormir un peu si...

Elle laissa sa phrase en suspens et poussa un soupir tandis que Jackson faisait courir ses mains sur son corps nu. Elle sentit la fièvre la gagner.

Les oreillers passèrent par-dessus bord, les couvertures valsèrent au pied du lit, puis il se glissa en elle. Elle poussa un petit cri.

— Je te tiens ! souffla-t-il.

Haletants, ils s'engagèrent dans une course au plaisir dont ils franchirent ensemble la ligne d'arrivée, finissant enlacés l'un contre l'autre, couverts de sueur et rassasiés.

— Oh mon Dieu..., murmura Yuki. C'était juste... super !

— Toi alors ! fit Brady en éclatant de rire.

Il l'embrassa et plongea ses mains dans son épaisse chevelure noire, contemplant les mèches soyeuses qui ondulaient doucement sous ses doigts.

— Je vais devoir filer, lança-t-il.

— Pas sans avoir bu un café !

Il lui donna une petite tape sur les fesses et s'extirpa du lit. Yuki se tourna sur le côté et l'observa s'éloigner, admirant son corps parfait, ses longs cheveux blonds, la croix celtique tatouée dans son dos.

Lorsque la porte de la salle de bains se referma, elle se leva à son tour et enfila la robe de chambre en soie que Brady lui avait récemment offerte.

Elle enjamba les vêtements qu'ils avaient jetés par terre la veille au soir, sortit du tiroir une chemise propre et la déposa sur le fauteuil. Elle écouta un instant le bruit de l'eau dans la douche et imagina Brady qui se savonnait.

Tsutta sakana ni esa wa yaranai, avait coutume de dire Keiko Castellano. *L'homme ne nourrit plus le poisson qu'il a pêché.*

Tais-toi, maman. Je l'aime.

Dans la cuisine, Yuki prépara du café et fit griller des toasts.

Il n'était même pas 6 heures du matin. On ne l'attendait pas au bureau avant 9 heures, mais ça ne la dérangeait pas de se lever en même temps que Brady. Elle le faisait parce qu'elle l'aimait, tout simplement. Elle l'aimait tant que c'en était presque gênant, mais elle était heureuse. Peut-être pour la première fois de sa vie d'adulte.

C'était même une certitude. Elle ne s'était jamais sentie aussi heureuse en vingt ans.

Brady entra dans la cuisine. Il avait noué sa cravate et bouclé son holster par-dessus sa chemise. À son visage fermé, elle comprit qu'il pensait déjà à l'enquête qui le tourmentait depuis quelque temps.

Elle lui servit une tasse de café et lui beurra une tartine.

Il rajouta plusieurs cuillerées de sucre dans sa tasse et but une première gorgée. À la seconde, il la reposa sur la table et déclara :

— Je ne peux rien avaler, chérie. Et puis j'ai une réunion dans... un quart d'heure ! Désolé, je dois partir. Je t'appelle tout à l'heure.

Il ne le ferait peut-être pas.

Ça n'avait aucune importance.

Elle l'embrassa sur le pas de la porte et lui fit promettre d'être prudent. Elle ajouta qu'elle espérait le revoir bientôt, puis l'étreignit un peu trop fort, un peu trop longtemps.

— Passe une bonne journée, fit-il en lui passant la main dans les cheveux.

2.

Le soleil dormait encore lorsque je garai mon vieil Explorer le long du trottoir face au palais de justice, un édifice qui abritait le bureau du district attorney, le tribunal et la division sud du SFPD.

Je présentai mon badge à l'entrée, franchis le portique de sécurité et me dirigeai vers l'escalier à travers le hall désert au sol recouvert de marbre rouge. Après avoir gravi quatre étages, je pénétrai dans la salle de la brigade.

Le lieutenant Jackson Brady nous avait convoqués à la première heure pour une réunion, sans en préciser la teneur. Je travaillais avec lui depuis maintenant dix mois, et je continuais de penser que quelque chose clochait avec lui.

Brady était un bon flic. Je l'avais déjà vu faire preuve de bravoure, et même d'un certain héroïsme – mais je ne parvenais pas à m'habituer à ses méthodes de management. Il se montrait rigide au possible et avait tendance à s'isoler. À l'époque où j'occupais son poste, quelques années plus tôt, j'avais adopté une approche totalement différente.

Mon coéquipier, Rich Conklin, leva les yeux de son écran d'ordinateur lorsque je franchis la porte. J'aimais beaucoup Richie, que je considérais presque comme mon petit frère – sauf que c'était plutôt lui qui veillait sur moi. Rich était un excellent flic, mais aussi un homme de grande valeur, et notre collaboration s'était toujours déroulée à merveille.

J'appréciais particulièrement sa façon de garder la tête froide même en période de stress intense.

— Quoi de neuf ? lançai-je en déposant ma veste sur le dossier de ma chaise.

— Je te le dirai quand tout le monde sera là, se contenta-t-il de répondre.

Bêtement, et pour montrer à quel point j'étais de mauvaise humeur, j'envoyai valser ma chaise contre mon bureau. Il me fallut une bonne minute pour me calmer. Conklin m'observait, attendant patiemment que j'aie fini ma crise.

— Je n'ai pas eu le temps de boire mon café, expliquai-je pour me justifier.

Il m'offrit le sien et s'amusa à me jeter des trombones pendant que je le buvais.

À 6 h 30, nous étions tous présents. Les néons au-dessus de nos têtes nous donnaient l'air de zombies.

Brady sortit du minuscule cube vitré qui lui servait de bureau et se dirigea vers le tableau blanc installé à l'entrée de la pièce. Il arracha d'un coup sec la première feuille, dévoilant les portraits de trois dealers récemment assassinés. Il scotcha deux photos d'une quatrième victime, dont une prise à la morgue.

C'était Chaz Smith, et sa mort allait faire du bruit.

Smith était un sale type qui vivait comme un nabab dans le quartier de Noe Valley, se faisant passer pour un homme d'affaires à la retraite. Son train de vie luxueux lui était en réalité assuré par l'importation en gros d'une cocaïne d'excellente qualité, qu'il se chargeait d'écouler auprès de ses « revendeurs locaux ».

Pendant des années, Smith avait échappé à la justice grâce à sa ruse et à son intelligence, et personne n'était jamais parvenu à le prendre sur le fait, en train d'effectuer une transaction au bord de la route, penché à la fenêtre de sa Ferrari.

À en juger par les deux impacts de balles visibles sur son front, on pouvait en conclure que, pour lui, les affaires s'arrêtaient là.

— Hier après-midi, Smith assistait à un récital auquel participait sa fille. Un peu avant le finale, il est allé aux toilettes pour se poudrer le nez, si vous voyez ce que je veux dire. C'est là qu'il s'est pris deux balles entre les yeux. Il était armé, mais il n'a manifestement pas eu le temps de sortir son flingue.

La mort de Smith, c'était un personnage odieux en moins, et ce sans avoir coûté le moindre cent aux contribuables. J'aurais pensé que c'était à la brigade des stups, et non à la criminelle, de prendre en charge cette affaire, mais il y avait un élément nouveau dans cet assassinat. Quelque chose qui avait interpellé Brady.

Lorsqu'il avait quelque chose à dire, Brady n'y allait généralement pas par quatre chemins. Pourtant, cette fois, il semblait hésiter à nous exposer la raison pour laquelle il nous avait tous réunis aux aurores.

— Pourquoi nous, lieutenant ? intervins-je.

— La brigade des stups a sollicité notre aide, répondit-il. Je sais qu'on a déjà largement de quoi s'occuper en ce moment, mais voilà le problème : Chaz Smith a été abattu à l'aide d'un calibre .22 qui a été dérobé dans notre salle des preuves. Il s'agit de l'un des six calibres .22 qui ont disparu au cours des derniers mois. Autrement dit, le tueur a accès à nos locaux. D'autre part, la liste des objets contenus dans cette salle a été effacée.

Une rumeur parcourut l'assemblée. Brady poursuivit :

— Il n'y a pas de témoin, et le tueur n'a laissé aucun indice derrière lui. L'alarme incendie a été déclenchée dans le but de créer une diversion. C'est du travail de pro, le quatrième assassinat d'une série qui a déjà coûté la vie à trois dealers. (Il marqua un temps de pause.) Bon, je vais arrêter de tourner autour du pot. Tout porte à croire que le tueur est un flic.

3.

Cindy Thomas descendait la longue pente de Divisadero Street, avec sa vue sur les toits qui s'étendait jusqu'à la baie illuminée par les couleurs de l'aube. Un panorama à couper le souffle qui, en temps ordinaire, la transportait d'allégresse. Mais aujourd'hui, Cindy n'était là ni pour une balade touristique ni pour une promenade de santé.

Elle était aux prises avec un conflit majeur, et elle espérait que cette petite sortie allait lui permettre d'y voir plus clair.

Son fiancé, Rich Conklin, l'avait réveillée aux alentours de 5 h 30 lorsqu'il s'était levé pour aller travailler. Assis au bord du lit tandis qu'il laçait ses chaussures dans le noir, il avait prononcé cette phrase : « Il faudra s'habituer à ce rythme quand on aura des enfants. »

C'était la troisième fois en deux semaines qu'il faisait allusion au fait de fonder une famille.

— On n'est pas pressés, si ? avait-elle aussitôt répondu.

— Tu sais, les enfants, il vaut mieux en avoir tant qu'on peut encore suivre la cadence.

À ces mots, il avait remonté la couverture pardessus ses épaules, déposé un baiser sur sa joue et murmuré : « Allez, rendors-toi. » Elle avait eu beau essayer, impossible.

À 6 h 30, elle avait enfilé ses vêtements et était sortie pour une courte marche. Cela faisait maintenant plus d'une heure, et elle n'avait toujours pas trouvé la réponse à la question qui la taraudait depuis qu'elle avait franchi la porte de son appartement.

Journaliste au *San Francisco Chronicle*, Cindy tenait la rubrique des affaires criminelles depuis maintenant six ans. Elle disposait d'un siège aux réunions éditoriales et avait su gagner le respect par son talent et sa ténacité. Elle se trouvait en bonne place dans la course vers le sommet et était promise à un brillant avenir. Mais pour autant, ce job qu'elle aimait par-dessus tout ne lui était pas garanti à vie. Avec des enfants, elle n'aurait plus la disponibilité nécessaire pour effectuer la somme de travail que son métier impliquait, et elle craignait de se voir peu à peu exclue de la compétition.

Richie était beau, gentil, et elle l'aimait à la folie. Quelques mois plus tôt, il lui avait réservé une magnifique surprise en lui offrant la bague en diamant de sa mère. Agenouillé devant elle au beau milieu de la Grace Cathedral, il lui avait fait ce jour-là la plus belle des demandes en mariage.

Qu'est-ce qu'une femme pouvait espérer de plus ?

En l'occurrence, elle attendait beaucoup plus de la vie.

En avouant à Richie ce qu'elle ressentait, ne risquait-elle pas de lui briser le cœur ?

Parvenue au niveau de Vallejo Street, elle jeta un œil à sa montre et se rendit compte que si elle ne trouvait pas un taxi dans la minute, elle arriverait en retard au bureau.

Elle sortit son téléphone portable et, au même moment, plusieurs voitures de police passèrent en trombe devant elle.

Elle observa les somptueuses demeures qui s'alignaient de part et d'autre de la rue bordée de magnolias et vit les véhicules de police s'arrêter quelques centaines de mètres plus loin, devant la tristement célèbre résidence Ellsworth.

Un drame venait de se produire dans cette demeure. Il n'y a jamais de hasard dans la vie, songea Cindy. Si elle avait parcouru six kilomètres à pied ce matin-là, c'était pour être la première journaliste arrivée sur les lieux.

Elle s'élança en courant dans Vallejo Street.

4.

La résidence Ellsworth, un immense et splendide manoir en brique construit à la fin du XIXe siècle, était considéré comme l'un des joyaux du quartier de Pacific Heights. Avec les quatre bâtiments annexes qui abritaient les anciennes dépendances des domestiques, la propriété s'étendait jusqu'à Ellsworth Place.

Ce lieu possédait une histoire haute en couleurs, faite d'intrigues politiques et de scandales sexuels qui remontaient au siècle passé.

Mais tandis qu'elle descendait Vallejo Street en direction des véhicules de police amassés devant la bâtisse, Cindy songeait plutôt à son histoire récente.

Dix ans auparavant, le légendaire Harry Chandler, acteur oscarisé et grand séducteur de son état, avait racheté la propriété pour y emménager avec son épouse, la très glamour Cecily Broad Chandler, styliste réputée dans l'univers des stars.

Un an plus tard, « Cece » Chandler avait brusquement disparu.

À l'époque assistante de rédaction, Cindy avait suivi de près cette mystérieuse affaire pendant les dix-huit mois qu'avaient duré l'enquête puis le procès de Harry Chandler, jugé pour le meurtre de sa femme.

L'acteur avait plaidé non coupable et, en l'absence de cadavre, l'acquittement avait été prononcé.

Pas de corps, pas de crime.

Harry Chandler était ressorti libre du tribunal.

Il avait conservé la propriété d'Ellsworth mais était parti s'installer dans son yacht, à quelques kilomètres de là.

Cindy l'avait croisé à deux ou trois reprises, lors de soirées caritatives ou d'événements mondains. Face à cet homme qui s'était illustré dans tant de films, il était impossible de distinguer la fiction de la réalité.

Essoufflée, Cindy ralentit son allure pour parcourir les quelques dizaines de mètres qui la séparaient encore du manoir. La police avait déjà établi un périmètre de sécurité. Une foule s'était massée à proximité de l'entrée : des touristes qui venaient manifestement de descendre d'un autobus estampillé *STAR HOME TOURS*.

Cindy se dirigea vers Joe Sorbera, un policier qu'elle connaissait depuis longtemps :

— Que se passe-t-il, Joe ?

— Tu ne voudrais quand même pas me causer des problèmes avec ma hiérarchie, Cindy ? Tu sais bien que je ne peux rien divulguer.

Un jeune homme portant un sweatshirt *Boston University* s'approcha d'eux.

— Chandler a cru qu'il allait encore pouvoir s'en tirer, lança-t-il.

Cindy se présenta, expliqua qu'elle était journaliste et demanda au touriste de parler devant le micro de son téléphone équipé d'une caméra.

— Pour moi, l'affaire Cecily Chandler est un exemple parfait de la façon dont les privilégiés parviennent toujours à contourner le système, déclara le jeune homme. Harry Chandler a été défendu par un avocat célèbre, un beau parleur qui jouait probablement au tennis avec le juge tous les dimanches.

Cindy éteignit son téléphone, remercia le type et marmonna : « Tu parles d'un scoop ! »

Une camionnette de *Channel Two* venait de s'engager dans Vallejo Street, tandis que deux policiers s'affairaient à installer des barrières pour bloquer la rue.

Revenant sur ses pas, Cindy chercha de nouveau à grappiller quelques informations auprès de Sorbera.

— Tu n'as vraiment rien à me dire, Joe ? Je ne citerai pas ton nom, si ça t'arrange. S'il te plaît. Même un tout petit détail.

— Recule, Cindy. Je ne te dirai rien.

Sorbera repoussa le groupe de touristes derrière les barrières, puis s'écarta pour laisser passer la voiture banalisée au volant de laquelle se trouvait Richie.

5.

J'étais à mon bureau lorsque l'appel au 911 fut transmis à la brigade par May Hess, notre « Lucky Luke du téléphone », comme elle s'était elle-même surnommée.

— Une femme a appelé pour signaler deux morts dans la propriété d'Ellsworth, m'expliqua-t-elle. Elle était assez laconique mais elle m'a semblé tout à fait crédible. Elle m'a dit qu'il n'y avait pas d'intrus dans la maison et qu'elle n'était pas en danger. Simplement « il y a deux morts », et puis elle a raccroché. J'ai rappelé deux fois le numéro, mais je suis tombée sur le répondeur.

J'écoutai l'enregistrement de l'appel. La femme s'exprimait avec un accent britannique et semblait réellement effrayée. Pour tout dire, la peur que l'on sentait dans sa voix et les éléments qu'elle omettait de préciser s'avéraient bien plus inquiétants que les faits eux-mêmes.

Brady écouta lui aussi l'enregistrement, puis nous envoya, mon coéquipier et moi, faire un tour à Pacific Heights :

— Contentez-vous d'une inspection préliminaire. Pour la suite, je verrai ça quand j'aurai votre rapport.

Bien, chef ! Tout de suite, chef !

À 7 h 35, Conklin garait notre voiture devant la propriété d'Ellsworth. Quatre véhicules de patrouille se trouvaient déjà sur place, ainsi qu'un autobus rouge à deux étages, garé le long du trottoir. De l'autre côté de la rue, derrière une barricade, une vingtaine de touristes prenaient des photos.

Je savais que la propriété d'Ellsworth faisait partie des attractions touristiques incontournables, mais lorsque Harry Chandler l'avait rachetée pour une somme faramineuse, elle avait commencé à attirer des curieux davantage intéressés par l'actualité des stars du cinéma que par l'histoire et l'architecture.

Je quittai la voiture et m'approchai de Joe Sorbera.

— Dis-moi tout, Joe.

Il sortit son calepin :

— Je suis arrivé sur les lieux à 7 h 10 et j'ai parlé par l'interphone avec la gardienne, une certaine Janet Worley. Elle m'a expliqué qu'elle n'était pas en danger et que les victimes, au nombre de deux, étaient mortes.

« Bel et bien mortes », pour reprendre ses termes... Le lieutenant Brady m'a demandé d'établir un périmètre de sécurité et d'attendre votre arrivée. Il m'a aussi demandé de ne pas entrer dans la propriété.

— La légiste a été prévenue ? demandai-je.

— Oui. Et la brigade scientifique est en route. De mon côté, j'ai pris quelques photos des badauds.

— Bon boulot, Sorbera.

Je me tournai vers la foule, qui commençait à se clairsemer. La circulation avait été déviée vers Divisadero Street, mais entre les tweets et les vidéos postées sur YouTube par les touristes, l'endroit n'allait pas tarder à se retrouver marqué d'un drapeau rouge.

La mort, associée au nom d'une célébrité, faisait toujours recette. Les médias ne manqueraient pas de braquer leurs projecteurs sur la propriété de Harry Chandler, et je pouvais être certaine que chaque erreur commise lors de l'enquête passerait à la postérité.

Je demandai à Sorbera d'installer un poste de commandement et de relation avec les médias sur Pierce Street, puis rejoignis Conklin, occupé à inspecter l'entrée de la propriété.

Le portail en fer forgé était intégré à un mur en brique couvert de lierre, assez haut pour isoler totalement le manoir de la rue. À son aspect, on pouvait supposer qu'il était d'époque. Je remarquai que la serrure avait été récemment forcée, comme l'indiquaient les traces toutes fraîches qui en rayaient la surface.

— Elle a été forcée à l'aide d'un objet métallique, observa Conklin.

D'après la femme qui avait parlé à Joe Sorbera, les deux victimes étaient « bel et bien mortes ». Qui étaient-elles ? Harry Chandler était-il impliqué dans ce double meurtre ?

Brady nous avait demandé d'effectuer un premier repérage, ce qui impliquait de déterminer un accès que les enquêteurs et les techniciens de scène de crime pourraient emprunter sans risquer de détruire d'éventuels indices. Il nous fallait donc prendre des photos, dessiner des croquis et élaborer une première hypothèse.

J'enfilai une paire de gants en latex et poussai le portail, qui pivota en silence sur ses gonds parfaitement huilés. Une allée en pierre traversait une pelouse verdoyante jusqu'aux marches menant à l'imposante porte d'entrée, encadrées de chaque côté par des parterres de fleurs.

La porte ne présentait aucune trace d'effraction. Conklin actionna le heurtoir en cuivre.

— Janet Worley ? lançai-je. Ouvrez. C'est la police.

6.

La femme qui nous ouvrit était une Blanche à la silhouette menue, la quarantaine bien tassée, qui mesurait environ un mètre soixante pour cinquante kilos. Elle portait une paire de leggings sous une blouse à imprimé fleuri. Je remarquai ses ongles rongés jusqu'à la pulpe.

Elle se présenta comme Janet Worley.

— Sergent Lindsay Boxer, fis-je en lui présentant mon badge. Et voici l'inspecteur Richard Conklin.

— Vous allez bien, madame Worley ? s'enquit mon coéquipier.

— Ça pourrait aller mieux, répondit la femme.

— Ne vous inquiétez pas. Nous sommes là, maintenant.

Conklin savait s'y prendre avec les gens, et particulièrement avec les femmes. Il était même célèbre pour ça.

Quant à moi, je voulais tout savoir, et tout de suite, comme chaque fois que je commençais une nouvelle enquête. J'observai le hall d'entrée pendant que Conklin interrogeait Janet Worley en prenant des notes. C'était une pièce immense, avec un plafond de six mètres de haut orné de moulures en plâtre ; à ma droite, un large escalier tournant menait aux étages supérieurs.

Tout était d'une propreté impeccable, les franges des tapis parfaitement alignées.

— Vous comprenez, mon mari et moi ne sommes que les gardiens, expliquait Janet Worley à Conklin. Ce manoir fait dix mille mètres carrés, et nous avons un planning très strict. Depuis trois jours, nous sommes occupés à faire le ménage dans la partie située du côté d'Ellsworth Place.

Pour ma part, je trouvais cette bâtisse, typique de l'époque victorienne, pour le moins lugubre. Venions-nous de débarquer sans le savoir dans un épisode de *Masterpiece Theatre* ? Agatha Christie rôdait-elle quelque part en coulisses ?

Derrière moi, Janet Worley continuait de répondre aux questions de Conklin. J'aurais voulu l'écouter jusqu'au bout, mais elle s'attardait sur des détails interminables, et je sentais le temps qui s'écoulait de façon inexorable.

— Pourquoi avez-vous appelé le 911 ? demanda Conklin.

— Je ferais mieux de vous montrer, répondit Worley.

Nous la suivîmes jusqu'à une bibliothèque, puis dans une pièce à vivre dotée d'une gigantesque cheminée en pierre et de canapés en cuir non moins surdimensionnés. Les rayons du soleil filtraient à travers les vitraux, peignant des arcs-en-ciel sur le sol de marbre. Nous traversâmes ensuite une impressionnante cuisine pour arriver à la porte donnant sur le jardin.

— Nous n'étions pas allés dans cette partie de la maison depuis vendredi, ce qui fait donc... trois jours. J'ignore depuis quand elles sont là.

Elle ouvrit la porte et je suivis du regard le mouvement de son doigt, qu'elle pointa en direction d'un patio de brique bordé de fleurs.

Je demeurai interdite l'espace d'un instant, car ce que je voyais était tout bonnement incroyable.

Deux têtes tranchées, entourées de chrysanthèmes blancs, étaient disposées sur le patio.

J'avais l'impression qu'elles me dévisageaient.

Cette vision, aussi sinistre que choquante, ferait une couverture idéale pour le prochain numéro du *National Enquirer* – sauf qu'il n'était pas question d'une quelconque invasion extraterrestre ou d'un canular pour Halloween.

Conklin se tourna vers moi, visiblement choqué lui aussi.

— Ces têtes... Ce sont des vraies ? lui demandai-je.

— Tout à fait. Et comme l'a dit Mme Worley, elles sont « bel et bien mortes ».

7.

Je sentis l'adrénaline enflammer mes veines et mon corps tout entier. Que s'était-il passé dans cette propriété ?

Quelle était cette vision cauchemardesque ?

La tête située sur la droite était la plus terrifiante, car elle paraissait relativement fraîche. Elle avait appartenu à une femme d'une trentaine d'années, aux longs cheveux châtains ; un piercing ornait la narine gauche. Les yeux étaient trop vitreux pour pouvoir en déterminer la couleur.

De la terre souillait ses cheveux, et les vers avaient commencé à attaquer la chair, mais l'on distinguait encore suffisamment ses traits pour en tirer un portrait et tenter d'identifier la victime.

L'autre tête, en revanche, n'était plus qu'un simple crâne. La mâchoire inférieure était présente, ainsi que les dents au complet.

Deux petites cartes étaient posées devant les têtes, chacune portant un nombre inscrit au stylo à bille. Celle correspondant au crâne indiquait *104*, l'autre *613*.

Que signifiaient ces mystérieux nombres ?

D'où provenaient ces têtes ?

Pourquoi avaient-elles été disposées de la sorte ?

Et s'il s'agissait d'un meurtre, où se trouvaient les corps ?

Je me détournai de l'horrible tableau pour plonger mon regard dans celui de Janet Worley, qui plaqua ses mains sur sa bouche et éclata en sanglots.

Je devais en profiter pour l'interroger sur-le-champ.

— À qui appartiennent ces têtes, madame Worley ? Et où sont les corps ? Dites-nous tout maintenant.

— Je vous ai déjà dit tout ce que je savais. Je vous rappelle que c'est moi qui ai appelé la police.

— Alors qui est le coupable ?

— Je n'en ai aucune idée.

— Vous savez que mentir vous rend coupable de complicité de meurtre ?

— Puisque je vous dis que je ne sais rien !

— Il nous faut les noms de toutes les personnes qui sont venues dans cette propriété depuis vendredi dernier.

— Eh bien, à part mon mari, ma fille et moi, personne n'est venu.

— Et M. Chandler ?

— Oh, certainement pas. Je ne l'ai pas vu depuis trois mois.

— Avez-vous manipulé ces têtes, ou touché à quoi que ce soit sur le patio ?

— Non. J'ai ouvert la porte pour aérer la pièce vers 7 heures ce matin, et, en voyant ça, je suis aussitôt allée prévenir mon mari. Et puis j'ai appelé le 911.

Janet Worley resta un moment silencieuse avant de réintégrer la maison, nous laissant, Conklin et moi, nous interroger sur la nature de cette découverte.

Acte satanique ? Terrorisme ? Meurtres liés à un trafic de drogue ?

Quelle était l'identité des victimes ? Que leur était-il arrivé exactement ?

J'aurais voulu inspecter les alentours, mais nous devions nous focaliser sur les éléments visibles et ne toucher à rien, pour ne pas risquer d'altérer d'éventuels indices.

Brady nous avait cantonnés à une enquête préliminaire. Notre rôle était de déterminer si nous avions affaire à un double homicide, ou à un « freak show » qu'il faudrait confier à la *Major Crimes Unit*.

— Je ne sais vraiment pas quoi penser de ce truc, fis-je à mon coéquipier.

Le fait est que je n'avais jamais rien vu de semblable au cours de mon existence.

8.

Le jardin, situé à l'arrière du manoir, formait un triangle de trois mille mètres carrés qui donnait l'impression qu'un morceau de forêt avait été arraché à la nature et transporté là tel quel.

La parcelle, obscurcie par les bâtiments environnants et les grands arbres qui y poussaient, était traversée par des allées parsemées de paillis et bordée d'un côté par le manoir, de l'autre par des murs de brique hauts de trois mètres qui se rejoignaient au bout du terrain, au niveau d'un cabanon.

— J'aperçois un outil multifonctions, fit Conklin en pointant du doigt une pelle à moitié dissimulée par un buisson.

Derrière elle, on distinguait un monticule de terre et un trou d'environ cinquante centimètres de diamètre, exactement la taille qui convenait pour y planter des chrysanthèmes – ou ensevelir des crânes humains.

Un second trou, à côté duquel était posée une pierre ronde, était visible depuis l'extrémité du patio.

En regardant plus attentivement, je remarquai d'autres pierres tout autour du jardin. Avaient-elles été disposées là dans un but décoratif, façon nains de jardin, ou bien s'agissait-il de repères ?

Si la pelle avait été utilisée pour forcer la serrure du portail, cela signifiait que la personne à l'origine de l'effraction savait où creuser pour exhumer les têtes.

Le tueur et l'intrus ne faisaient-ils qu'une seule et même personne, ou bien ce dernier n'avait-il joué qu'un rôle de complice ?

J'observai à nouveau les chiffres inscrits sur les cartes.

Pour un tueur, le fait de laisser derrière lui une carte de visite relève toujours d'une forme de défi. En règle générale, il cherche à montrer aux flics qu'il leur est supérieurement intelligent. Un petit jeu dangereux.

Un vaste jardin à l'abri des regards, deux têtes tranchées auréolées de fleurs, des inscriptions énigmatiques...

Ces chiffres indiquaient-ils le nombre de têtes encore enfouies dans le jardin ? Allions-nous trouver des centaines de crânes en creusant, empilés dans des trous les uns sur les autres ?

Au-delà de son aspect effrayant, je ne comprenais ni le sens, ni le but de ce tableau macabre. Mais nous venions à peine d'arriver et n'avions pas encore commencé à gratter la surface.

— Aux grands maux les grands remèdes, fis-je en me tournant vers Conklin.

— Radar pénétrant, embraya-t-il, les yeux rivés sur le jardin.

— Et chiens policiers. Il va falloir retourner ce jardin.

9.

De retour dans la cuisine, nous fîmes la connaissance de Nigel Worley.

Avec son mètre quatre-vingt-dix, il dépassait sa femme d'une bonne tête et devait bien peser soixante-dix kilos de plus qu'elle. À en juger par son visage bouffi, l'homme semblait porté sur la boisson. Je remarquai ses grosses mains couvertes de taches. Il répondait à nos questions uniquement si elles lui étaient directement adressées et gardait les yeux dans le vague, quelque part entre Conklin et moi.

M. Worley n'avait aucune hypothèse pour expliquer la présence des têtes sur le patio, et le ton de sa voix était hostile. Il devait pourtant faire une déposition officielle. Nous ne lui laissions pas le choix. Sa femme et lui étaient à la fois les seuls témoins et les seuls suspects dont nous disposions.

Nous branchâmes la sirène et conduisîmes le couple au palais de justice.

Tandis que Conklin questionnait Nigel Worley, je m'installai face à Janet dans la plus petite de nos deux salles d'interrogatoire. Invisible derrière la glace sans tain, Brady nous observait en faisant les cent pas.

Il m'avait déjà fait part de son mécontentement quant à la tournure prise par les événements. Pour lui, l'affaire Ellsworth représentait un bourbier dans lequel nous risquions de nous engluer. Il avait besoin de nous pour enquêter sans plus attendre sur les meurtres de dealers en série.

Bien sûr, je comprenais ses inquiétudes, mais j'avais vu de mes yeux la tête tranchée d'une femme qui était encore vivante une semaine plus tôt. Une victime anonyme qui, si nous ne parvenions pas à découvrir son identité, allait se retrouver étiquetée et rangée dans une armoire réfrigérée à la morgue.

Sous l'œil de la caméra installée dans un coin de la pièce, Janet Worley m'expliqua qu'elle et son mari avaient quitté l'Angleterre dix ans plus tôt pour venir s'installer aux États-Unis. Ils avaient été embauchés par Harry Chandler à l'époque où ce dernier avait acheté la propriété d'Ellsworth.

Elle avait *adoré* côtoyer le couple Chandler, et avait été *choquée* et *profondément attristée* par la mort de Cecily. Les Worley étaient restés dans la propriété tout le temps qu'avait duré le procès de Harry, en partie parce que leur fille, Nicole, s'y plaisait beaucoup. Elle y vivait d'ailleurs encore.

— Nicole travaille en tant que biologiste pour Fish & Wildlife. Elle a passé le week-end quelque part dans la nature, sûrement pour une mission de sauvetage animalier. J'ai essayé de lui téléphoner, mais impossible de la joindre.

Janet Worley pensait qu'elle serait de retour dans la soirée, mais précisa qu'elle n'était jamais vraiment au courant de ses allées et venues.

— Elle a vingt-six ans, vous savez. Elle mène sa vie comme bon lui semble.

— Parlez-moi un peu des autres bâtiments qui composent la propriété.

— À l'origine, ils étaient réservés aux domestiques, mais, au fil des années, ils ont été transformés en appartements. M. Chandler en est l'unique propriétaire. Beaucoup de locataires sont partis, il ne reste que très peu d'occupants.

Janet Worley poursuivit en expliquant que Nicole vivait au numéro 2, et le chauffeur de Harry Chandler au numéro 4. Les deux autres bâtiments étaient vacants.

Je me concentrais pour tenter de déceler d'éventuelles incohérences dans les déclarations de Worley ; j'étudiais avec attention son langage corporel. Elle me paraissait tout à fait crédible. Pour finir, je lui demandai de noter les noms et les numéros de téléphone des autres employés de Chandler vivant sur la propriété, et tandis qu'elle s'exécutait, je quittai la pièce et rejoignis Conklin afin de comparer la version de Janet avec celle de son mari.

Nigel Worley avait raconté la même histoire à Conklin. Selon ses dires, personne n'en voulait à sa famille, et Harry Chandler n'avait reçu aucun appel ni aucun courrier malveillant.

À l'instar de sa femme, Nigel Worley ignorait qui pouvait avoir placé les têtes tranchées sur le patio, et n'avait aucune idée de l'identité de la victime aux cheveux châtains.

Les deux époux semblaient ne pas s'être quittés une seule minute au cours des dix dernières années et pouvaient répondre de leurs emplois du temps respectifs pour le week-end qui venait de s'écouler.

Je tâchai de dissimuler ma frustration.

Comment Brady pouvait-il me demander d'oublier ces deux victimes anonymes ? Comment pouvais-je abandonner cette enquête ?

C'était tout bonnement impossible.

10.

Je toquai à la porte du bureau de Brady, qui me fit signe d'entrer et m'invita à m'asseoir.

Je connaissais très bien cette minuscule pièce pour l'avoir moi-même occupée un temps, mais j'avais fini par renoncer à ce poste afin de pouvoir me consacrer pleinement aux enquêtes au lieu de passer mon temps à inspecter des feuilles de présence et à pondre des rapports à la chaîne.

Warren Jacobi était alors mon coéquipier.

De dix ans mon aîné, Jacobi avait passé pas mal de temps à bosser sur le terrain et avait sauté sur l'occasion de prendre possession du petit bureau d'angle lorsque la place s'était libérée. Lassé des courses-poursuites dans les ruelles, il souhaitait gravir les échelons de la hiérarchie et avait donc pris ma succession. Avec lui, la brigade s'était mise à tourner comme une horloge suisse, et il s'était rapidement vu proposer le poste de chef de la police, laissant la place vacante.

Récemment transféré du Miami Police Department, Jackson Brady avait proposé sa candidature et obtenu le poste de lieutenant et le bureau vitré qui allait avec. Cela faisait maintenant dix mois qu'il jouissait d'une vue imprenable sur l'autoroute en contrebas !

Manier le fouet n'avait rien de réjouissant, mais il fallait bien que quelqu'un s'y colle, et Brady faisait ça très bien.

— J'aimerais que tu m'accordes une minute, fis-je en préambule.

— Bien. Une minute, mais pas une de plus.

— Je voudrais m'occuper de l'affaire Ellsworth. Je sais que ça ne sera pas facile, mais je pense pouvoir gérer cette enquête en parallèle de celle des dealers si je bosse avec Conklin et l'appui d'une autre équipe.

Brady se leva de son siège pour aller fermer la porte, se rassit, puis me fixa longuement de son regard d'acier :

— Il y a quelque chose que tu dois savoir à propos de l'affaire des dealers, Boxer. Ce flic ne se contente pas de tuer des truands. Sa dernière victime, Chaz Smith, était un flic en civil.

— Tu peux répéter ?

— Chaz Smith était de la maison.

Brady m'exposa sa théorie : selon lui, un flic qui travaillait au 850, Bryant Street en avait eu ras-le-bol de suivre les règles et décidé de rendre justice lui-même ; mais en supprimant Chaz Smith, il avait sans le savoir franchi un palier supplémentaire.

— Smith dirigeait une grosse opération pour la brigade des stups, ajouta Brady. D'autres flics bossaient pour lui, et nous devons tout faire pour les protéger. Il faut à tout prix coincer ce justicier solitaire. L'échec n'est pas permis.

— Je dois en parler à Conklin.

— Où est-il ?

— Il est allé déposer les gardiens d'Ellsworth dans un hôtel.

— Tu peux lui en parler, et je suis d'accord pour vous laisser enquêter sur les deux affaires. Mais je te préviens, Boxer : l'affaire Ellsworth ne doit en aucun cas devenir votre priorité.

— Message reçu.

— Je l'espère. Souviens-toi que le Vengeur n'est pas qu'un simple flic. C'est un flic qui a tué l'un des nôtres.

11.

Je passai la journée à bosser sur les deux affaires.

Je parcourus de A à Z la liste des personnes disparues pour tenter d'identifier la victime anonyme aux longs cheveux châtains. Après ça, Brady et moi recensâmes tous les policiers ayant accès à la salle où nous conservions les biens saisis dans le cadre de nos enquêtes. Nous étudiâmes leurs emplois du temps pour voir s'ils étaient ou non en service lorsque les dealers avaient été abattus avec les calibres .22 dérobés dans la fameuse salle.

La liste était longue, et Brady était encore penché dessus quand je quittai le palais de justice.

Le soleil se couchait lorsque j'arrivai à Ellsworth ; le ciel au-dessus de la baie avait pris des nuances rosées. Parquées devant la propriété, les camionnettes des équipes de télévision, moteurs et phares allumés, avaient déployé leurs antennes satellite. Les présentateurs utilisaient le manoir comme arrière-plan pour leurs interventions en direct.

Plusieurs d'entre eux m'interpellèrent lorsque je franchis la barricade. Beaucoup de journalistes locaux me connaissaient, et parmi eux Cindy Thomas, l'une de mes plus proches amies, qui m'appela sur mon téléphone.

Je laissai sonner sans décrocher. Je n'avais pas le temps de lui parler.

M'apercevant, Conklin s'approcha de moi.

— C'est dingue, me dit-il. Je suis devenu *la* référence. Les journalistes aboient à tout va et je n'ai même pas un os à leur jeter. Brian Williams en personne m'a appelé sur mon portable. Je me demande comment il a dégoté mon numéro.

— Sans blague ? Brian Williams, le type de *NBC* ? Tu lui as dit quoi ?

— Que l'enquête suivait son cours, que nous n'avions aucun commentaire à faire pour le moment et qu'il devait contacter notre service de relations avec les médias.

— Bien joué.

— Je lui ai aussi dit que j'aimais beaucoup ce qu'il faisait.

Je partis d'un grand éclat de rire.

— Sérieusement, Lindsay, si nous ne donnons pas la moindre info à Cindy, ma vie va devenir un enfer. Tu sais qu'elle est arrivée sur les lieux avant nous ?

— Je peux déjà t'annoncer que Brady m'a donné son feu vert : nous sommes officiellement affectés à l'affaire Ellsworth.

Dans le jardin, je découvris qu'une tente avait été installée près du patio. Des rouleaux de papier marron avaient été déroulés sur les allées, et un ruban jaune déployé à travers le jardin pour protéger la scène de crime.

De nouveaux trous avaient été creusés, et la terre disposée sur de grandes bâches goudronnées. Des lampes halogènes éclairaient le jardin, mais une fois le soleil couché, elles s'avéreraient insuffisantes pour que les techniciens continuent à travailler dans de bonnes conditions. Il fallait en effet à tout prix éviter de piétiner ou de perdre des indices.

Il ne nous restait plus qu'à prier pour qu'il ne pleuve pas pendant la nuit.

12.

Je trouvai ma meilleure amie, le docteur Claire Washburn, légiste en chef, à l'intérieur de la tente installée dans le jardin. Elle portait des bottes et une combinaison taille XL, une tenue qu'elle avait rebaptisée, pour plaisanter, « préservatif intégral à fermeture Éclair ».

— Salut, Lindsay, lança-t-elle en m'apercevant. Un beau bordel qu'on a là. Non, ne t'approche pas de moi. Et surtout, ne touche à rien. On essaie de boucler de façon hermétique cette horrible scène de crime. Je n'avais encore jamais rien vu de tel.

Elle me fit la bise à distance, puis se mit de côté pour me laisser voir son plan de travail.

Quatre crânes y étaient alignés – trois d'entre eux propres comme un sou neuf, semblables à la tête numérotée 104.

Des fragments de cuir chevelu étaient visibles sur le quatrième crâne.

— Les chiens viennent de repérer un autre crâne, m'expliqua Claire. Les six que j'ai examinés pour l'instant ont tous été séparés du corps à l'aide d'une scie circulaire.

Le rabat de la tente s'ouvrit et mon ami Charlie Clapper fit son apparition, impeccablement coiffé et aussi fringant qu'on puisse l'être dans une combinaison blanche. J'étais vraiment heureuse de le voir arriver. Chef de la brigade scientifique, Clapper était un ancien de la criminelle, et au sein du SFPD, c'était un peu notre Gil Grissom.

Il portait un gros sac en papier marron qu'il tendit à Claire, ainsi qu'un petit sachet transparent.

— Salut, Lindsay. J'ai entendu dire que Brady t'avait refilé cette patate chaude.

— Je me la suis refilée moi-même, à vrai dire. J'avais le choix entre bosser sur cette affaire ou passer des nuits blanches à regretter de ne pas avoir été affectée à l'enquête.

— Je te comprends. Une énigme pareille, on ne rencontre ça qu'une seule fois dans sa vie – alors n'essaie pas de me voler la vedette ! Bon, j'ai quelque chose qui devrait t'intéresser.

— Je t'écoute.

— J'ai repéré des traces de sang dans l'un des trous, ce qui me fait penser qu'il renfermait la tête de notre anonyme. Si j'ai raison, alors ce collier lui appartenait probablement, fit-il en brandissant le petit sachet transparent.

Le collier en question était composé de perles de verre, le genre de bijou fantaisie qu'on trouve sur les stands de foire. Ce qui le rendait spécial, c'était que notre anonyme l'avait vraisemblablement manipulé et que nous pouvions donc espérer y relever ses empreintes digitales.

Peut-être le tueur y avait-il également laissé son ADN.

— J'ai trouvé d'autres trucs, fit Clapper. Notamment cette améthyste montée sur un pendentif en or, ainsi que d'autres petits objets, mais qui sont restés ensevelis trop longtemps pour que je puisse déterminer leur nature exacte ou les exploiter d'une quelconque manière.

— Ce sont quand même des trophées, non ? (Une petite lumière se fit dans ma tête.) Et si les têtes représentaient elles aussi des trophées ? Tu sais quoi, Clapper ? Je pense que le tueur a fait de ce jardin son petit musée personnel.

13.

Ce soir-là, nous nous retrouvâmes toutes dans l'antre de Claire, à savoir l'institut médico-légal, situé juste derrière le palais de justice.

Claire, Cindy, Yuki et moi prîmes place autour de la grande table que Claire utilisait comme bureau : le Women's Murder Club au grand complet était réuni pour une séance de brainstorming.

Souvent, lorsqu'on discute toutes ensemble d'une affaire, il nous arrive de craindre ce que Cindy pourrait relater par la suite dans l'un de ses articles. Si l'une d'entre nous omet de préciser que ses propos sont en « off », elle peut être certaine de les retrouver le lendemain dans le *Chronicle*. Mais, ce soir-là, c'est Yuki qui m'inquiétait le plus.

Yuki est l'une des assistantes du district attorney, et si je savais que rien de ce que nous dirions ne s'ébruiterait dans les médias, je craignais qu'il n'en soit tout autre sur l'oreiller.

Car Yuki sortait avec Jackson Brady.

Mon supérieur.

— Pas un mot au lieutenant de tes rêves, O.K. ? Je crois qu'il n'apprécierait pas.

— Je comprends, me répondit Yuki avec un sourire en posant sa main sur mon bras – mais sans rien me promettre.

Claire nous distribua des bouteilles d'eau puis entra dans le vif du sujet. Elle nous expliqua que six des crânes déterrés à Ellsworth avaient été placés dans des sacs en papier pour éviter toute condensation, et que la septième tête, celle aux cheveux longs, était conservée au froid afin de stopper la décomposition des tissus.

— Je vais les examiner dans la matinée, ajouta-t-elle, mais j'ai aussi demandé l'aide d'une anthropologue judiciaire, le docteur Ann Perlmutter, de l'université de Santa-Cruz. Vous en avez sûrement entendu parler, elle a travaillé à l'identification de corps retrouvés dans des fosses communes en Afghanistan. Si une personne est capable de remettre un visage identifiable sur un crâne, c'est bien elle.

— Combien de temps ça prendra ? demandai-je.

Claire haussa les épaules :

— Plusieurs jours, voire plusieurs semaines. En attendant, on va se pencher sur notre anonyme aux cheveux longs. Essayer de la retoucher un peu sur Photoshop. Mettre sa photo sur notre site.

— Je peux créer une page Facebook qui lui serait dédiée, proposa Cindy.

— C'est encore trop tôt, intervins-je pour tenter de freiner les ardeurs de ma fougueuse amie. Laisse-nous déjà une chance de pouvoir l'identifier dans la vie réelle. Et puis imagine que ses parents découvrent sa photo sur Facebook. Il vaudrait mieux qu'ils n'apprennent pas sa mort d'une manière aussi brutale.

J'évoquai ensuite les nombres 104 et 613, et présentai à Cindy et Yuki une photocopie des cartes de visite sur lesquelles ils étaient inscrits. Aucun nombre n'avait été retrouvé avec les autres crânes.

— C'est peut-être un jeu ? fit Yuki.

— L'assassin serait donc un fan de Sudoku ?

— Tu sais que t'es une marrante ? répliqua Yuki en me filant une petite tape sur le bras.

— Comme tu viens de l'expliquer, aucun nombre n'a été retrouvé avec les autres crânes, fit Claire.

— À mon avis, cela signifie que ces deux nombres ont été laissés par la personne qui a déterré les deux premiers crânes. Après tout, celui qui les a enterrés n'est peut-être pas le même que celui qui les a exhumés ?

— Je viens de faire une recherche sur Google, m'interrompit Cindy en levant les yeux de son ordinateur portable. Pas mal de résultats, mais rien qui semble lié à d'obscurs enfouissements de squelettes dans des jardins. Par exemple, j'ai un lien qui renvoie à des rapports sur les radiations, ou à des départements d'universités européennes.

— Ça doit être une sorte de code, fit Yuki.

— Ou une référence quelconque, suggérai-je. La mise en scène avec les fleurs m'a fait penser à une exposition d'art.

— Laisse-moi essayer de résoudre cette partie de l'énigme, fit Cindy. Je te communiquerai les résultats de mes recherches, et je me disais... si jamais je découvre la signification de ces nombres, je pourrais peut-être avoir l'exclusivité sur cette affaire ? Qu'en penses-tu, Linds ?

— O.K., à condition que tu trouves quelque chose de vraiment exploitable.

— Ça marche.

— Et, bien entendu, je jetterai un coup d'œil avant la publication.

— Bien entendu. J'ai l'habitude avec vous !

— Le plus gros problème, pour moi, c'est que nous n'avons pas de corps, fit Claire. Du coup, on ne connaîtra peut-être jamais les causes de la mort.

— Au moins, on n'en a que sept à trouver, et pas six cent treize, observa Yuki.

— Pour l'instant, rétorqua Claire. Il y a un paquet de jardins à Pacific Heights !

Il pleuvait lorsque que je quittai l'institut médico-légal ; je regagnai mon Explorer en courant. Plusieurs journalistes m'attendaient sur le parking et m'appelèrent dès qu'ils me virent approcher.

Je grimpai dans ma voiture, allumai les phares, démarrai le moteur et m'engageai dans Harriet Street.

Désolée, messieurs dames, je n'ai pas le moindre petit os à vous jeter.

14.

Je pensais encore à ces histoires de crânes en ouvrant la porte de mon appartement de Lake Street. J'avais à peine franchi le seuil que Martha, mon fidèle border collie, s'élança en poussant des petits gémissements et me sauta dessus, manquant me faire tomber à la renverse.

— Mais oui, moi aussi je t'aime, fis-je en me penchant pour récolter un coup de langue sur le menton. Joe ! appelai-je ensuite. Ta vieille primigeste est rentrée à la maison !

Claire m'avait expliqué qu'une « vieille primigeste » était une femme de plus de trente-cinq ans qui se retrouvait enceinte pour la première fois, un terme désuet et peu flatteur que je trouvais pour ma part plutôt hilarant.

Joe me répondit de loin et, en entrant dans le salon, je le vis debout entre des piles de livres et de journaux, en pyjama, son téléphone vissé à l'oreille.

Il baissa le son de la télé et passa son bras libre autour de mes épaules.

— Excusez-moi, je vous écoute, dit-il ensuite à son interlocuteur. Oui, bien sûr. Demain, parfait.

Il mit fin à l'appel, m'embrassa et me demanda si j'avais dîné.

— Pas vraiment.

— Viens dans la cuisine. Je vais réchauffer un peu de soupe pour mon bébé. Et pour ma vieille femme aussi, bien entendu !

— Très drôle, Joe ! Avec qui parlais-tu, à l'instant ?

— Un contact... Mais chut, c'est top secret ! lâcha-t-il d'un air théâtral. Sache juste que c'est le jackpot assuré pour la famille Molinari.

— O.K. ! Cool pour le jackpot ! Euh... une soupe à quoi ?

Il s'agissait de *tortellini in brodo* accompagnées de petits pois et servies dans un grand bol, que je vidai en moins d'une minute.

— Tu me ressers ?

Entre deux bouchées, je mis mon mari au courant de l'enquête sur « la maison aux crânes », ainsi que ne tarderait pas à être surnommée la résidence Ellsworth.

— C'était indescriptible, Joe. Deux têtes disposées sur le patio. Une mise en scène macabre qui m'a fait penser à une sorte d'installation artistique. Pas de cadavres, et le jardin était intact à l'exception des deux trous où les têtes avaient été déterrées. Les techniciens ont exhumé cinq autres crânes au cours de la journée. Franchement, pour l'instant, je ne sais pas trop par où commencer.

J'évoquai ensuite les nombres 104 et 613 inscrits à la main sur des cartes de visite.

— Cindy se charge d'essayer de les décrypter. On sait que 613 correspond à un indicatif local d'Ottawa. Pas mal de stations de radio commencent par 104. En mettant les deux ensemble, on obtient une liste de maisons de trois pièces à vendre dans le Colorado. Tu parles d'une piste !

— 10-4. C'est le code radio pour « message reçu ».

— Hum. Et 613 ?

— 13 juin ?

— Les ides de juin… Mouais, ça ne m'aide pas des masses.

Joe apporta un grand bol rempli de pralines et de crème glacée, le posa sur le comptoir et s'installa face à moi. Armés chacun d'une cuillère, nous attaquâmes le dessert. Je parvins à m'emparer de la dernière bouchée et levai les bras en signe de victoire :

— Hourra !

— Je t'ai laissée gagner, ma grosse !

— Bien sûr !

Je lui glissai un clin d'œil puis me levai pour débarrasser la table.

— Alors, ça t'inspire quoi cette nouvelle affaire ? demandai-je ensuite.

— Hormis le fait que le coupable est forcément un cinglé, trois questions me viennent à l'esprit. *Primo*, quel est le lien entre ces crânes et la propriété d'Ellsworth ? *Secundo*, quel est le point commun entre les victimes ? *Tertio*, Harry Chandler a-t-il quelque chose à voir dans tout ça ?

— Et les nombres ? Tu penses qu'il peut s'agir d'un score ou d'une sorte de décompte ?

— Franchement, je n'en ai aucune idée.

— L'un des crânes, celui d'une femme, était relativement bien conservé. Si on parvient à l'identifier, peut-être que cette histoire de nombres n'aura plus beaucoup d'importance.

Quatre heures plus tard, je me réveillai dans mon lit à côté de Joe. Les images du cauchemar qui m'avait tirée de mon sommeil, dignes d'un film de Wes Craven, erraient encore dans mon esprit. Une pyramide de crânes se dressait dans un jardin sombre, des centaines de crânes entourés d'une immense guirlande de fleurs.

Quel en était le sens ?
Je n'avais toujours pas le moindre indice.

15.

À 7 heures, j'étais définitivement réveillée, installée avec une tasse de café au lait devant mon ordinateur portable. Je parcourus brièvement mes e-mails et tombai sur deux alertes Google concernant le SFPD.

Les liens pointaient vers le site du *San Francisco Post*, qui titrait à la une : « Le Vengeur *vs* le SFPD ».

Mon estomac se serra lorsque je lus le nom du journaliste qui avait signé l'article.

Jason Blayney, le pitbull en charge de la rubrique des affaires criminelles, connu pour sa plume acerbe et sa haine des flics. Il lui arrivait souvent de déformer la réalité, ce dont le *Post* ne semblait guère se soucier.

> Chaz Smith, un important trafiquant de drogue, a été assassiné dimanche après-midi dans les toilettes pour hommes de la Morton Academy of Music. L'auditorium, où se déroulait le récital annuel, accueillait ce jour-là de nombreux parents et élèves.
>
> Smith se trouvait dans le collimateur du SFPD depuis déjà trois ans, mais les dysfonctionnements et la corruption au sein des services de lutte antidrogue ont empêché toute poursuite judiciaire à son encontre. Selon le

témoignage d'une personne qui a tenu à conserver l'anonymat, cet assassinat porte la signature d'un tueur professionnel.

Chaz Smith est le quatrième trafiquant exécuté récemment, une série de meurtres qui, d'après moi, pourrait bien être l'œuvre d'une bonne âme ayant entrepris de mettre de l'ordre dans une situation à laquelle le SFPD semble totalement incapable de remédier. Voilà pourquoi j'ai surnommé ce tueur « le Vengeur » – et vu l'ampleur de la tâche, il risque fort de tuer à nouveau...

Il le disait lui-même : « d'après moi... » On n'était donc plus dans le journalisme, mais presque dans le domaine du *storytelling*.

Et l'histoire en question s'apparentait à une charge cinglante contre le SFPD.

J'étais sur le point d'appuyer sur la touche « Suppr » mais je me ravisai et, au lieu d'envoyer l'article dans la corbeille, je cliquai sur le lien pointant vers le second article, intitulé « Ellsworth, théâtre d'une découverte macabre ? ».

Une photo nous montrait, Conklin et moi, en train de franchir le portail.

Mon rythme cardiaque s'accéléra tandis que je parcourais l'article. Le texte expliquait que la brigade criminelle s'était rendue dans la célèbre propriété d'Ellsworth, un ensemble de bâtiments appartenant à l'acteur Harry Chandler.

En préambule, Blayney se fendait d'un petit topo sur le taux d'élucidation des crimes particulièrement bas du SFPD.

Un peu plus bas, mon nom me sauta aux yeux.

« D'après nos sources, cette enquête aurait été confiée au sergent Lindsay Boxer, dont la rumeur prétend qu'elle se serait émoussée depuis sa démission du poste de lieutenant il y a de ça quelques années... »

C'était une attaque gratuite, et je n'y étais pas préparée. Une vague de colère me submergea ; je sentis monter les larmes. Ce type se permettait de taper sur une vieille primigeste décorée pour sa bravoure, qui avait passé douze années à servir son pays et résolu pas mal d'enquêtes criminelles.

Peut-être pas cent pour cent, mais quand même un bon paquet !

Je restai assise sur le tabouret de la cuisine le temps que mon café refroidisse et que mes hormones s'apaisent.

Blayney avait décidé de couvrir les deux enquêtes dont j'étais chargée, mais, pour le moment, il ignorait que Chaz Smith était un agent infiltré et que sept crânes au total avaient été exhumés dans la propriété de Harry Chandler.

Dans un cas comme dans l'autre, nous n'avions aucune piste et aucun suspect.

Combien de temps allait-il s'écouler avant que les « sources anonymes » ne fassent remonter ces informations aux oreilles de Blayney ?

« Boxer, dont la rumeur prétend qu'elle se serait émoussée... »

Les caisses du gouvernement étaient vides, les suppressions de postes allaient bon train, et les commentaires hargneux de ce journaliste risquaient d'influencer mes supérieurs.

Pour la première fois depuis le début de ma carrière, je craignais de perdre mon job.

16.

Ce matin-là, j'affrontais les embouteillages afin de conduire mon mari à l'aéroport. Les rues étaient complètement bouchées et, à ce rythme-là, son avion risquait de décoller sans lui.

Pour autant, j'étais contente de pouvoir passer ce moment avec Joe, dont le cerveau d'ancien du FBI s'avérait particulièrement affûté.

Je remontai ma vitre et me mis à tambouriner des doigts sur mon volant tout en expliquant à Joe que quatre gros bonnets de la drogue avaient été récemment exécutés et que la brigade des stups avait réclamé notre aide pour coincer le tueur.

— Pourquoi Brady est-il persuadé que le Vengeur est un flic ? me demanda Joe.

— Les balles qui ont tué Chaz Smith correspondent à une arme qui a été volée dans la salle des preuves, et les quatre assassinats ont été commis avec un professionnalisme qui laisse à penser que le tueur en savait long sur ses cibles. À vrai dire, il paraît aussi bien renseigné que n'importe quel agent de la brigade des stups.

J'ajoutai que la mort de Chaz Smith avait mis en émoi les hauts responsables du SFPD.

— La véritable identité de Smith était un secret bien gardé, Joe. Il dirigeait une vaste opération clandestine qui ne doit surtout pas foirer, sous peine de mettre en péril la vie de plusieurs flics.

— Ça m'a tout l'air d'être une sale affaire. Et dangereuse, avec ça. Le tueur savait que Smith faisait partie de la police ? C'est possible, non ?

Effectivement, c'était une éventualité à prendre en considération.

— Deux secondes, fis-je, tout en m'engageant sur la rampe d'accès au dépose-minute.

J'éteignis le moteur et me tournai vers mon mari.

— Ne pars pas, Joe.

— Et toi, essaie de te ménager un peu. Évite les heures supplémentaires à n'en plus finir. Tâche de bien dormir cette nuit. O.K. ?

Nous sourîmes tous les deux face à ces demandes que nous savions impossibles à satisfaire et quittâmes la voiture. Joe me prit dans ses bras ; mes larmes mouillèrent son col de chemise.

Nous échangeâmes un long baiser, puis Joe se baissa pour embrasser mon ventre. Je ris en voyant les regards étonnés que nous jetèrent plusieurs passagers et un bagagiste.

— Idiot ! m'écriai-je, ravie de savoir que Joe était mon idiot à moi et rien qu'à moi.

— N'oublie pas non plus de bien manger, Blondie. Tu me manques déjà.

Je l'embrassai une dernière fois, lui adressai un petit geste de la main et le suivis des yeux tandis qu'il s'éloignait vers le comptoir d'enregistrement.

Brady nous attendait dans son bureau, Conklin et moi. Il ferma la porte et déposa devant nous un exemplaire du *Post* ouvert à la page de l'article de Jason Blayney : « Le Vengeur *vs* le SFPD. »

Conklin n'en avait pas encore eu connaissance. Il passa la main dans ses cheveux et le parcourut tandis que je prenais la parole :

— Comment Blayney peut-il en savoir autant sur l'assassinat de Chaz Smith ? demandai-je à Brady. Il est peut-être rancardé par quelqu'un de la maison ?

— C'est fort probable, fit Brady.

— Inutile de vous en prendre à moi, lança Conklin. Ma journaliste de fiancée et moi n'y sommes pour rien.

— En fait, c'est moi qui l'ai mis au parfum, déclara Brady.

— Pardon ? nous fîmes à l'unisson.

— Blayney est venu m'interroger. Je lui ai simplement dit que l'assassin de Chaz Smith était un professionnel. Je l'ai fait à dessein, histoire de mettre le Vengeur sous pression. Maintenant, il sait qu'il a du souci à se faire.

17.

Après la publication de l'article de Jason Blayney concernant l'assassinat de Chaz Smith, le standard fut assailli par des appels émanant de divers pronostiqueurs, mauvais plaisants et autres journalistes. Les gens avaient peur, mais l'affaire les titillait. Un tueur professionnel avait tout de même abattu un trafiquant de drogue dans l'enceinte d'un établissement scolaire !

De quel côté de la barrière l'assassin se trouvait-il ? Allait-il tuer de nouveau ?

Était-il désormais dangereux d'envoyer ses enfants à l'école ?

Tandis que Brady répondait aux appels téléphoniques dans son bureau, Conklin et moi nous installâmes face à face dans la salle de la brigade et commençâmes à pianoter sur nos claviers.

Si le Vengeur faisait partie du SFPD, nous trouverions forcément des indices en analysant les feuilles de présence.

Nous isolâmes ainsi les noms des flics qui n'étaient pas en service aux jours et heures correspondant aux assassinats.

Mais cette méthode d'investigation se révélait loin d'être parfaite – un emploi du temps compatible avec la réalisation d'un forfait ne suffit pas pour accuser un homme. C'était pourtant la seule piste dont nous disposions.

— Tiens, lança Conklin. Jenkins a un emploi du temps qui cadre parfaitement.

— Je le connais. C'est un excellent tireur.

— Et donc un suspect potentiel.

À midi, nous avions listé une douzaine de flics. Trois d'entre eux avaient travaillé au sein de la brigade des stups à un moment de leur carrière. Ils figuraient donc parmi nos favoris.

Je transmis notre liste à Brady par e-mail. Il me répondit en écrivant qu'il se chargerait d'étudier leurs dossiers. Mon téléphone sonna sur ces entrefaites.

C'était Clapper, qui m'appelait depuis Ellsworth. J'enclenchai le bouton du haut-parleur.

— Quoi de neuf, Charlie ?

— La fouille du jardin se poursuit mais on a terminé dans le bâtiment principal. On n'y a rien trouvé. Pas de traces de sang, pas de corps décapités ni d'autres cartes numérotées. Les empreintes relevées appartiennent toutes aux Worley. J'ai dit à Janet qu'ils pouvaient réintégrer la maison.

— Elle t'a paru comment ?

— Tendue. Elle n'arrêtait pas de parler. Sa fille est revenue. Ils ont prévu de faire du ménage – Janet est catastrophée par le bazar qu'on a laissé derrière nous. Encore une citoyenne qui se plaint de la police !

18.

Janet Worley était dans un état d'agitation extrême lorsqu'elle nous ouvrit la porte.

— Ah, c'est vous ! Entrez. J'imagine que vous voulez parler à Nicole.

Conklin et moi la suivîmes jusque dans la cuisine, où Nigel Worley était occupé à nettoyer les traces de poudre dactyloscopique sur la cuisinière.

— Je peux vous assurer que Nicole n'est au courant de rien, fit Janet. Elle n'était même pas là !

— Nous comprenons, répondit Conklin. Ce que nous voulons, c'est recueillir ses impressions, avoir son avis sur toute cette affaire.

— Elle est dans son appartement. Nigel, tu veux bien l'appeler ?

— Madame Worley, que pouvez-vous nous dire à propos de Harry Chandler ? demandai-je.

— Voulez-vous une tasse de thé ?

— Non, merci.

Nous prîmes place autour de la table, avec une vue directe sur la tente installée dans le jardin par les techniciens de scène de crime. Le toit ruisselait encore de la pluie tombée pendant la nuit.

— Que voulez-vous savoir au juste ? lança Janet d'un air crispé.

— Parlez-moi de sa personnalité, de son tempérament.

— Eh bien, c'est quelqu'un d'honnête. Il a beau être riche, ça reste un homme tout ce qu'il y a de plus normal.

Normal ? Harry Chandler était au cinéma ce qu'O. J. Simpson était au football américain !

— Après la disparition de sa femme, pendant un an et demi, M. Chandler a beaucoup souffert et nous sommes presque devenus des membres de sa famille. Nous avons quitté notre appartement au numéro 2 pour nous installer dans le bâtiment principal, histoire que la maison ne reste pas vide, ce que M. Chandler a beaucoup apprécié. Il s'est toujours montré très généreux. Il a payé les frais de scolarité de Nicole. Il nous a offert beaucoup de choses, notamment une voiture. Pas vrai, Nigel ?

— La voiture de sa femme.

— Oui. C'était une seconde main, mais nous l'avons encore.

— Quand avez-vous vu M. Chandler pour la dernière fois ?

— Il y a de ça trois mois. Il est venu dîner pour Noël. Il était charmant, comme à son habitude, mais j'ai trouvé qu'il avait l'air un peu distrait. J'imagine que c'est lié à son travail, et qu'il doit sans cesse répéter ses textes dans sa tête pour s'imprégner de ses personnages.

Un bruit sourd nous fit sursauter.

Je me retournai. Nigel affichait un visage tendu :

— Bien sûr qu'il est tout le temps distrait. C'est un vrai coureur de jupons ! Oh, ne me regarde pas comme ça, Jan. Ce n'est pas moi qui le dis, c'est de notoriété publique !

— C'est un homme à femmes, concéda Janet.

— Harry Chandler est du genre à aimer toutes les femmes qu'il croise, poursuivit Nigel. Il préfère les actrices, mais il peut aussi bien s'intéresser à une serveuse dans un restaurant, ou même aux femmes d'un certain âge.

Déjà mal à l'aise, Janet sembla se raidir davantage.

— Je crois qu'il n'a jamais rencontré une femme qui ne lui plaisait pas, fit Nigel en se tournant vers moi et me fixant droit dans les yeux pour la première fois. Il flasherait sur vous s'il vous voyait.

Son regard avait quelque chose de glaçant, comme s'il venait de poser ses mains autour de mon cou pour m'étrangler.

19.

Une jeune femme fit soudain irruption dans la pièce.

— Nicole, lança Janet Worley. Ces personnes sont de la police. (Elle se tourna vers moi.) Je serai dans le petit salon si vous avez besoin de moi.

Elle quitta aussitôt la pièce.

Âgée d'une vingtaine d'années, Nicole Worley possédait un beau visage en forme de cœur encadré par de longs cheveux bruns qui faisaient ressortir ses yeux verts et ses joues bien rouges. Elle portait un jean et un sweat-shirt vert orné du logo de la U.S. Fish and Wildlife.

— Qu'est-ce qui t'arrive ? demanda-t-elle à son père.

— C'est ta mère qui me tape sur les nerfs.

— J'aimerais autant que vous évitiez d'en venir aux mains.

— Tu verrais comment elle parle de cette espèce de frimeur...

— Arrête un peu !

— Les femmes... Il y a un truc qui ne tourne vraiment pas rond chez vous !

— O.K., papa. La discussion est close. (Elle s'adressa à moi.) Je suis Nicole. Vous vouliez me voir ?

Nigel se replongea dans son nettoyage et Nicole s'assit face à nous.

— Nous voudrions juste obtenir quelques informations, expliquai-je. Où étiez-vous ces derniers jours ?

— J'étais en mission de sauvetage. Une antilocapre qui s'était retrouvée coincée dans une clôture, sûrement parce qu'elle avait paniqué en traversant la route, à cause des phares d'une voiture.

— Quand êtes-vous partie pour cette mission ?

— Vendredi matin.

— Vous étiez seule ?

— Oui. C'était dans le comté de Mendocino et j'y suis allée seule en voiture. Que voulez-vous savoir exactement ? Si j'ai tué des gens et si j'ai déterré leurs crânes pour les exposer dans le jardin et faire peur à mes parents ?

— C'est à vous de me le dire, Nicole. Avez-vous quelque chose à voir avec ces crânes découverts hier matin ?

— Je n'ai rien à voir dans tout ça, et j'ignore comment un truc pareil a pu se produire.

— Comment est-il possible qu'aucun de vous trois ne soit au courant d'une série de meurtres commis dans une maison où vous habitez ?

Derrière nous, Nigel bougonna :

— Tu parles d'une question à la con !

— Tu n'as pas autre chose à faire, papa ? lança Nicole.

Nigel Worley était un homme au physique massif, au tempérament colérique, et je l'imaginais tout à fait capable de devenir violent. Mais s'il avait tué ces sept personnes, le fait d'exhumer leurs crânes n'avait aucun sens. Et les entourer d'une guirlande de chrysanthèmes m'apparaissait comme une initiative un peu trop délicate pour un homme tel que lui.

— Monsieur Worley, pensez-vous que M. Chandler puisse être impliqué dans cette affaire ?

— Commettre un crime et enterrer des crânes, ça demande un certain effort, vous ne croyez pas ? Et franchement, je vois mal cette feignasse de Chandler se salir les mains !

Je ne connaissais pas Harry Chandler, mais Nigel Worley, en revanche, était le genre de type à avoir tous les jours les mains sales.

20.

Nigel quitta la pièce en claquant la porte derrière lui.

Après son départ, Conklin plaça devant Nicole une photo de la tête décapitée appartenant à la jeune femme anonyme. Les yeux écarquillés, Nicole eut un mouvement de recul, son visage se décomposa.

— Connaissez-vous cette femme ? demanda Conklin.

— Je ne l'ai jamais vue.

— C'est l'une des deux têtes que vos parents ont découvertes hier matin, intervins-je.

— C'est abominable.

— Elle était encore en vie la semaine dernière, Nicole. Depuis sa tête a été découpée à la scie.

— Cette histoire est vraiment étrange.

— Quelle relation entretenez-vous avec Harry Chandler ?

— Je suis la fille de ses employés. Rien de plus, rien de moins. Vous voulez savoir ce que je pense de lui ?

— Bien sûr.

— Il a été accusé de choses horribles par le passé, mais je sais que c'est quelqu'un de bien. Il s'est toujours montré attentionné envers nous, et nous l'avons toujours été envers lui.

— Votre père ne semble guère l'apprécier.

— Vous savez, il ronchonne, mais il ne pense pas la moitié de ce qu'il dit. En fait, il s'imagine que ma mère est secrètement amoureuse de lui, et ça le rend furieux.

— Vous aviez seize ans quand votre famille est venue s'installer ici ?

— C'est exact.

— Pour quelle raison avez-vous quitté Londres ?

— Mes parents avaient une vision très romantique des États-Unis. Dès notre arrivée, je suis tombée sous le charme de cette ville et de cette propriété. Je suis devenue incollable sur tout ce qui touche à la famille Ellsworth. Harry me laisse vivre gratuitement au numéro 2. En échange, je sers de guide aux touristes qui viennent voir la propriété.

— Vous connaissez donc cette maison par cœur ? demandai-je. La seule chose que vous ignoriez, c'est que le jardin faisait également office de cimetière…

Le visage de la jeune femme s'empourpra.

L'approche frontale ne donnait aucun résultat, ou alors Nicole ne mentait pas en affirmant qu'elle ne savait rien.

Mon téléphone se mit à sonner avant que j'aie eu le temps de poser une autre question.

Je jetai un œil à l'écran puis me levai pour aller prendre l'appel dans l'arrière-cuisine.

— Je me suis entretenue avec le docteur Perlmutter, me dit Claire. D'après elle, tous les crânes appartiennent à des femmes. Trois d'entre eux, parmi lesquels celui de notre anonyme, appartiennent à des Blanches. Un autre correspond à une femme originaire d'Afrique, un autre à une femme asiatique et les deux derniers sont impossibles à classifier de façon formelle.

— Elle a une idée de leurs âges ?

— De la vingtaine à la quarantaine.

— Combien de temps sont-ils restés enterrés ?

— Difficile à établir avec précision, Lindsay. Mais, apparemment, ils auraient tous été enterrés au cours des dix dernières années.

Soit depuis que Chandler avait racheté la propriété.

Je raccrochai et demandai à Conklin de me rejoindre dans l'arrière-cuisine.

Mon coéquipier possède la faculté de lire en moi comme dans un livre ouvert.

Il savait que j'étais sous pression depuis que Brady m'avait donné son feu vert pour gérer cette affaire en parallèle avec celle du Vengeur.

Je lui fis part de ma conversation avec Claire.

— Je m'occupe d'interroger Nicole, me dit-il.

— Parfait, fis-je en hochant la tête. Pendant ce temps-là, je vais user de mon charme auprès de la star du grand écran.

21.

Conklin tint la porte à Nicole puis tous deux se dirigèrent vers le patio. Ils se faufilèrent dans la tente et Conklin salua un technicien occupé à étiqueter des sachets contenant des échantillons de terre prélevés dans le jardin.

— Tu as des bottes ? lui demanda-t-il.

L'homme lui tendit un carton contenant des couvre-chaussures jetables. Conklin en prit deux paires et en remit une à Nicole.

Un chemin pavé longeait le mur de la propriété : une fois leurs pieds recouverts de protections en plastique, Conklin et Nicole s'avancèrent dans le jardin.

Conklin concentra son attention sur la jeune femme, détaillant son langage corporel tandis qu'elle lui expliquait qu'elle travaillait comme biologiste et espérait obtenir un poste d'enseignante dans l'une des écoles proches d'Ellsworth.

— Mes parents vieillissent, et j'aimerais ne pas trop m'éloigner d'eux. C'est un peu grâce à moi s'ils ne s'entretuent pas... euh, je ne dis pas ça au sens propre du terme.

— Ne vous inquiétez pas, fit Conklin en souriant. J'avais compris.

Nicole se glissa ensuite dans son rôle de guide touristique et narra à Conklin l'histoire de Bryce Ellsworth, de ses cinq femmes et de ses quatorze enfants. Elle lui raconta comment la maison avait réchappé du gigantesque incendie de 1906, ainsi que de nombreuses anecdotes sur l'époque de la Prohibition. Elle lui apprit également que Billie Holiday était venue y donner un concert privé pour les Ellsworth.

À un moment de leur déambulation, Nicole indiqua à Conklin les bâtiments de six étages qu'on apercevait derrière le mur de la propriété :

— Ils sont relativement élevés par rapport aux immeubles du voisinage, mais Bryce Ellsworth tenait à ce qu'ils répondent à la hauteur du bâtiment principal. Il aimait la symétrie. Vous remarquerez qu'aucune fenêtre ne donne sur le jardin. C'est l'un des aspects intéressants de cet endroit. Même depuis mon appartement, au numéro 2, je n'ai pas de vue sur le jardin.

— Quel est l'intérêt ?

— La première épouse de Bryce Ellsworth était une femme secrète, qui tenait beaucoup à son intimité. Je pense qu'elle ne voulait pas être épiée par le personnel quand elle se promenait dans le jardin.

Conklin leva les yeux vers les bâtiments en brique, construits en même temps que la demeure principale. Comme l'avait fait remarquer Nicole, les fenêtres étaient fausses, seulement constituées d'une bordure en relief mais dépourvues de carreaux, ce qui n'en faisait ressortir que plus nettement la seule véritable fenêtre, dans l'avant-dernier bâtiment.

— Il y en a pourtant une, observa Conklin. Là-haut, au dernier étage du numéro 6.

— Le numéro 6 est condamné depuis plusieurs années, répondit Nicole, mais je suis presque certaine que cette fenêtre donne sur une cage d'escalier.

Après avoir longuement écouté Nicole lui relater l'histoire de la maison, Conklin souhaitait maintenant obtenir des réponses à ses questions.

— Qui s'occupe de l'entretien du jardin ?

— Un type qui s'appelle Ricky. J'ai oublié son nom de famille, mais ça va peut-être me revenir.

— Avez-vous un petit ami ?

— Pardon ?

— Avez-vous un petit ami, Nicole ?

— Pas en ce moment. Du moins... rien de sérieux. Je n'ai ramené aucun homme à la maison récemment.

— Avez-vous invité des amis ces dernières semaines ?

— Je trouve que votre interrogatoire commence à ressembler à du harcèlement, inspecteur Conklin.

— Vous préférez venir passer quelques heures au poste avec le sergent Boxer et moi-même ? Nous pouvons tout à fait vous placer en garde à vue en tant que témoin essentiel.

Les yeux de la jeune femme s'embuèrent de larmes :

— Je n'invite jamais mes amis ici, marmonna-t-elle.

— Avez-vous remarqué ces derniers temps la présence d'un individu qui vous aurait semblé louche ?

— Non, je ne crois pas.

— Et les touristes ? Vous les conduisez dans le jardin ?

— Non. Ils ne rentrent pas non plus dans la maison. Je leur explique l'histoire de la propriété, mais ils restent en dehors.

— Merci, Nicole. Je vais avoir besoin de votre numéro de téléphone.

Conklin lui tendit un stylo et un calepin, l'observa inscrire le numéro puis lui remit sa carte.

— Je vous rappellerai pour connaître le nom et le numéro du jardinier. Si la moindre information vous revenait en mémoire, n'hésitez pas à me contacter. À n'importe quelle heure.

— Comptez sur moi.

Conklin adressa un signe de tête à un technicien qui photographiait l'une des « pierres tombales ».

— Juste pour vous prévenir, nous allons continuer à fouiller le jardin tant que nous ne connaîtrons pas l'identité de ces sept victimes et les circonstances de leur mort.

22.

Depuis mon enfance, j'étais habituée à voir le visage de Harry Chandler, aussi bien dans des grosses productions hollywoodiennes que dans des petits films indépendants. C'était un homme sexy, un acteur talentueux capable d'incarner tous les rôles, du plus gentil au plus méchant.

Avant de prendre la route pour South Beach Harbor, j'avais consulté la biographie de Chandler, une histoire à présent entachée par la disparition de son épouse, une femme issue de la haute-société, présumée morte. Son procès, qui s'était soldé par un acquittement, avait fait couler beaucoup d'encre

– une chronique judiciaire dont l'intensité dramatique n'avait rien à envier à *Citizen Kane*.

L'opinion publique avait retenu que, même en l'absence de preuves, Chandler n'en était pas moins impliqué dans la mort de sa femme. Il avait tourné quelques films depuis la fin du procès, notamment *Time to Reap*, un long métrage qui jetait un regard cynique sur l'effondrement de l'économie mondialisée, un rôle qui lui avait valu de remporter son deuxième Oscar. Je dois admettre que j'avais hâte de le rencontrer en chair et en os.

Six kilomètres seulement séparaient Vallejo Street du yacht club de South Beach Harbor, une ancienne zone industrielle qui s'embourgeoisait peu à peu depuis les années 1980.

Je m'engageai dans Pierce Street en direction de Broadway Street, puis tournai à droite pour rejoindre l'Embarcadero. La baie s'étendait sur ma gauche et j'apercevais les mâts des voiliers qui s'élevaient derrière les yachts ancrés dans le port.

Je garai ma voiture au parking puis allai me présenter au vigile chargé de contrôler l'entrée du South Beach Yacht Club. Ce dernier inscrivit mon nom et le numéro de mon badge sur un registre, puis il passa un coup de fil et m'autorisa enfin à franchir le portail. Le bateau de Chandler, baptisé le *Cecily*, était amarré à l'extrémité d'une jetée. Il s'agissait d'un yacht moderne de fabrication italienne, un Ferretti haut de gamme de vingt-cinq mètres de long, fin et élancé, très impressionnant. Je me surpris à imaginer la vie à bord d'un de ces bateaux de luxe.

Je descendis la jetée et trouvai Harry Chandler qui m'attendait, assis sur une chaise pliante. Il posa son journal en me voyant arriver et se leva pour venir à ma rencontre.

Harry Chandler me fit penser à un lion vieillissant. Barbu, le visage ridé, il restait pourtant séduisant. C'était encore la star qui avait fait chavirer le cœur de millions de femmes à travers le monde.

— Sergent Boxer ? Bienvenue à bord !

Nous échangeâmes une poignée de mains, et je ressentis comme une légère décharge électrique lorsqu'il posa sa main sur mon épaule pour me guider le long de la passerelle. Sur le pont en teck, un espace couvert était aménagé avec des canapés blancs et des tables basses en verre.

— Je vous en prie, installez-vous. Mettez-vous à l'aise, me dit Chandler.

Je pris place tandis qu'il se dirigeait vers un frigo installé sous le bar. Il versa le contenu de deux petites bouteilles d'eau dans des verres en cristal ciselé puis s'assit face à moi.

— J'ai lu un article sur ce qui s'est passé hier. Que dire ? C'est horrible, vraiment horrible. Et puis Janet m'a téléphoné. Elle était complètement hystérique. Si vous ne m'aviez pas contacté, j'aurais pris l'initiative d'appeler la police. J'avoue que cette affaire me trouble profondément.

Je l'observai avec attention tandis qu'il parlait. J'avais déjà si souvent vu son visage que j'avais presque l'impression de le connaître.

Disait-il la vérité ou bien jouait-il un rôle de composition ? J'espérais être en mesure de faire la différence.

Je présentai à Chandler la photo de la victime anonyme. Il eut un mouvement de recul et détourna à moitié le regard avant d'observer à nouveau le cliché.

— Je ne la connais pas. Il est évident que je me pose des questions, sergent. Je ne sais toujours pas ce qui est arrivé à Cecily, mon ex-femme. Est-il possible qu'elle fasse partie des personnes enterrées dans le jardin ? C'est terrible d'imaginer ça…

— Vous vous posez des questions ?

— Oui. J'aimerais tant savoir ce qu'il lui est arrivé.

Si la dépouille de Cecily Chandler était retrouvée, Harry Chandler ne serait pas poursuivi, du moins pas pour son meurtre. Il avait été acquitté et ne pouvait donc pas être jugé une seconde fois. Mais si le corps de sa femme avait été enterré dans son jardin, Harry deviendrait aussitôt le suspect numéro un pour les six autres morts.

Chandler avait-il pu assassiner plusieurs femmes et les enterrer dans sa propriété en pensant que leurs dépouilles ne seraient jamais exhumées ? Avait-il conservé cette maison qu'il n'habitait plus dans le seul but de protéger son jardin et ses « trophées » ?

La colère de Nigel Worley à la seule évocation du nom de l'acteur était-elle uniquement liée à l'attirance que sa femme éprouvait pour lui ?

En voyant Harry Chandler assis dos à la baie de San Francisco, je songeai à Scott Peterson, condamné pour le meurtre de sa femme, alors enceinte de leur enfant et dont le corps avait été repêché non loin de là. Il était fort probable que de nombreux corps aient été jetés dans l'eau. Fort probable également qu'une majorité d'entre eux, emportés vers l'océan, ne serait jamais retrouvés.

Je souris à Harry Chandler pour tenter d'user de mon charme, comme je l'avais dit à Conklin sur le ton de la plaisanterie.

— Quel a été votre emploi du temps la semaine dernière, monsieur Chandler ?

— Je vous en prie, appelez-moi Harry. Ainsi, vous voulez savoir si j'ai un alibi ?

Il se leva, se dirigea vers un interphone dont il pressa le bouton et, de son inimitable voix de stentor, demanda :

— Kaye, la police voudrait te parler.

23.

Dès le premier regard, Kaye Hunsinger me fit une excellente impression.

Âgée d'une quarantaine d'années, elle possédait un large et franc sourire. Elle m'expliqua qu'elle était propriétaire d'une petite boutique de vélos dans le quartier de North Beach. Je remarquai tout de suite son impressionnante bague de fiançailles en diamants.

Kaye, Harry Chandler et moi prîmes place sur des canapés installés au niveau de la poupe, face à un plateau rempli d'un assortiment de petits sandwichs. Une douce brise venait ajouter à l'ambiance détendue et sympathique, mais je n'en guettais pas moins les réactions du couple à mes questions.

Avaient-ils joué un rôle dans le cauchemar survenu à Vallejo Street ? Harry Chandler était-il un meurtrier ? Kaye Hunsinger le couvrait-elle, consciemment ou à son insu ?

Elle m'apprit que Harry et elle avaient navigué le long de la côte la semaine passée, et qu'ils avaient regagné le South Beach Yacht Club la veille au soir.

— Ç'a été une semaine inoubliable. Nous avons longé la côte jusqu'à Monterey, où nous avons mouillé dans la marina. Là, nous avons envoyé valser les chaussures de bateau ! dit-elle en pouffant. J'ai enfilé mes talons, ma plus belle robe, et Harry et moi sommes allés danser. C'était merveilleux.

Une pause le temps d'échanger un sourire, main dans la main. Ces deux-là étaient amoureux, ça ne faisait pas l'ombre d'un doute.

— Bien sûr, nous avons signé tous les papiers nécessaires pour pouvoir accoster à chacune de nos escales, fit Chandler. Et de nombreuses personnes nous ont vus. Cela vous suffit-il comme alibi ?

Je repensai à ce qu'il m'avait dit un peu plus tôt, lorsqu'il avait exprimé son désir de savoir si son épouse pouvait être enterrée dans son jardin. Moi aussi, je me posais la question, mais je souhaitais également découvrir l'identité de la femme dont la tête avait été récemment découpée à la scie.

Chandler avait-il profité de sa petite croisière pour jeter un corps par-dessus bord ?

Je n'avais pas de mandat de perquisition, et aucune raison valable de fouiller le yacht : seul un tour du propriétaire pouvait me permettre de repérer un élément susceptible d'indiquer qu'un crime avait eu lieu sur le *Cecily*.

— Je vais prendre la liste de tous les endroits où vous avez fait une halte afin de vérifier tout ça. Et j'avoue que je meurs d'envie de visiter votre bateau.

Harry et Kaye me guidèrent dans la luxueuse embarcation. Le yacht comportait quatre cabines, décorées avec un raffinement extrême et impeccablement rangées. On se serait cru dans un magazine de décoration, version nautique.

Le bateau était doté d'un puissant moteur, et les alibis du couple avaient très bien pu être fabriqués, mais j'avais beau me creuser la cervelle, je ne voyais pas pourquoi Harry Chandler serait revenu à San Francisco au beau milieu de sa croisière pour aller déterrer deux crânes dans son jardin et les exposer, auréolés d'une couronne de fleurs, le tout accompagné d'un énigmatique message chiffré.

Harry Chandler ne me faisait pas l'effet d'un déséquilibré mental.

Je complimentai le couple sur son yacht, et, avant que la conversation ne tourne au bavardage inutile, je tendis ma carte à Chandler et expliquai que je devais partir.

— Je vous raccompagne, fit Chandler.

Je m'engageai le long de la passerelle et, cette fois, la main de Chandler se posa sur mon épaule de façon plus ferme, plus insistante. Je fis un pas de côté et me retournai pour lui jeter un regard interrogateur.

— Vous me faites penser à un papillon, me glissa Harry Chandler en dardant sur moi un regard intense. Un papillon aux ailes d'acier.

Cette déclaration me laissa interdite, et ce pour plusieurs raisons. Harry Chandler venait-il de me dévoiler son vrai visage ?

Je me remémorai les paroles de Nigel Worley : « Il flasherait sur vous s'il vous voyait. »

— J'ose espérer que vous n'êtes pas en train de me draguer, monsieur Chandler. Parce que, en général, lorsqu'une personne suspectée dans une affaire de meurtre drague une enquêtrice, vous savez ce que je pense ? Je me dis qu'il a quelque chose à cacher et qu'il agit ainsi par désespoir.

— Vous me voyez donc comme un suspect, sergent Boxer ?

— Nous n'écartons pour le moment aucune hypothèse.

— Dans ce cas, je vous présente mes excuses. Je n'avais pas l'intention de vous offenser.

— Je vous demanderai de ne pas quitter la marina, retournai-je sèchement. Et, à votre place, j'éviterais même de quitter la ville.

24.

Jason Blayney s'avança d'un pas décidé à travers la salle principale du yacht club, un vaste *open space* haut de plafond et doté d'un immense bar.

Âgé de vingt-sept ans, le journaliste possédait un visage agréable quoique commun, et, en plus de ses qualités intellectuelles, une étonnante particularité physique. Enfant, il avait appris à déboîter son épaule gauche, et le fait de déformer ainsi sa silhouette lui conférait un avantage lors de certaines situations.

Ce jour-là, son épaule saillante lui avait permis de franchir sans encombre le contrôle de sécurité.

— Comment allez-vous ? avait lancé Blayney au vigile. Je suis un ami des O'Brien. Dites, je peux emprunter les toilettes ?

— Bien sûr, avait répondu l'homme en lui indiquant le chemin.

Blayney se lava les mains, arrangea ses cheveux et ajusta l'appareil photo accroché autour de son cou.

Il quitta le club par la porte arrière en songeant à l'interview de Harry Chandler qu'il s'apprêtait à réaliser.

Blayney avait grandi à Chicago. Diplômé de la Medill School of Journalism, il avait débuté sa carrière de fort belle manière en intégrant le bureau de Los Angeles du *New York Times*. Six mois plus tôt, le *San Francisco Post*, qui appréciait son style agressif, lui avait proposé de travailler pour la rubrique des affaires criminelles, un job qui l'avait conduit à San Francisco et qui lui seyait comme l'obscurité à la nuit.

Il avait maintenant carte blanche pour détrôner le *Chronicle*, la référence en matière d'affaires criminelles, et s'imposer comme l'un des journalistes les plus renommés du pays.

Ce jour-là, Blayney était chauffé à blanc. Le grabuge de la veille, dans la propriété de Chandler, constituait le point de départ d'une histoire qui promettait de faire beaucoup de bruit. Il avait réussi à embobiner un flic chargé de la circulation pour obtenir des informations et, pour le moment, il était presque certain d'être le premier journaliste à savoir que plusieurs crânes avaient été déterrés dans le jardin de la résidence Ellsworth.

Ce premier élément représentait déjà un truc énorme, et il n'en était qu'au tout début de ses investigations.

Une demi-heure plus tôt, Blayney avait pris Lindsay Boxer en filature depuis Vallejo Street. Dès qu'il l'avait vue monter dans sa voiture, il avait deviné qu'elle se rendait au yacht club pour interroger Chandler.

Il prit son temps, et tandis qu'il se dirigeait vers la marina, il vit Boxer quitter la passerelle qui menait au bateau de Chandler. Elle téléphonait, tête baissée, ses cheveux blonds lui masquant le visage. Blayney envisageait Lindsay Boxer comme l'un des personnages de l'histoire qu'il allait raconter à ses lecteurs. C'était une enquêtrice douée, mais aussi une femme très émotive. En la suivant de près, il ne doutait pas qu'il finirait par la faire réagir et qu'elle le mènerait au cœur de l'intrigue. Elle pouvait aussi bien être l'héroïne ou le maillon faible, dans l'une ou l'autre des deux enquêtes qu'elle dirigeait – cela, il ne s'en souciait guère.

Lindsay Boxer l'avait déjà conduit jusqu'à Harry Chandler.

Il prit quelques photos, mais elle ne remarqua pas sa présence.

— Bien joué, sergent, lâcha-t-il à voix basse. Je crois que vous allez faire la une de la prochaine édition.

25.

Blayney reconnut immédiatement l'homme en jean qui remontait la passerelle en plastronnant. Quelle émotion que de poser son regard sur l'acteur en temps réel, de le voir ainsi face à lui, en chair et en os. Cet homme dont il avait si souvent observé le visage sur Court TV pendant presque deux ans. Un type qui avait potentiellement assassiné sa femme sans être condamné.

Blayney souhaitait ardemment obtenir une interview avec Chandler. Jamais dans sa vie il n'avait autant désiré quelque chose. Il prit une série de clichés puis appela de loin :

— Monsieur Chandler !

Chandler se retourna et, les poings serrés, scruta son interlocuteur :

— Oui ?

Blayney ouvrit le portail métallique :

— Bonjour, monsieur Chandler. Vous allez bien ? Je me présente : Jason Blayney, du *San Francisco Post*. J'aimerais vous poser quelques questions.

— Vous êtes journaliste ?

— J'aimerais que vous m'expliquiez ce qui se passe dans votre propriété de Vallejo Street. J'aimerais aussi me faire votre avocat. Vous aider à porter votre vision des faits devant l'opinion publique...

— Foutez-moi le camp. Vous êtes sur une propriété privée.

Chandler sortit son téléphone de la poche de son jean et composa un numéro.

— Harry Chandler à l'appareil. J'aurais besoin d'un vigile.

— J'ai entendu dire que plusieurs crânes humains avaient été retrouvés dans votre jardin. Souhaitez-vous faire un commentaire ?

— Ne me prenez pas en photo, grogna Chandler. Je n'ai rien à vous dire, vous comprenez ?

Blayney se rapprocha de quelques pas afin de montrer qu'il n'avait aucune intention de rebrousser chemin.

— Avez-vous tué votre femme il y a de ça dix ans, monsieur Chandler ? L'avez-vous enterrée dans votre jardin ? Y avez-vous également enterré plusieurs de vos anciennes conquêtes ?

Chandler se rua sur le journaliste, l'empoigna par le col de sa chemise et le força à reculer jusqu'au bord du ponton. Là, il le poussa violemment, manquant le faire tomber à l'eau. Il le rattrapa de justesse, observa son épaule démise et, d'un ton menaçant, lança :

— Ne vous avisez pas de revenir.

— Vous vous comportez comme si vous aviez quelque chose à vous reprocher, monsieur Chandler, fit Blayney.

— Pauvre type, rétorqua Chandler en le poussant à nouveau.

— Ne faites pas ça, monsieur Chandler. Mon appareil... Il m'a coûté deux mille dollars !

Chandler lui arracha l'appareil d'un geste sec puis le poussa à l'eau.

Bien que choqué, Blayney était ravi de ce qui venait de se produire. Il remonta à la surface et partit d'un grand éclat de rire. Après avoir remis son épaule, il nagea jusqu'à l'un des bossoirs, s'y cramponna, puis Chandler lui jeta un gilet de sauvetage auquel il s'accrocha.

Toujours hilare, Blayney s'écria :

— J'apprécie la façon dont vous vous exprimez, monsieur Chandler. Votre attitude est bien plus parlante qu'une simple citation !

Le journaliste repéra une échelle de cordes et se hissa hors de l'eau. Génial, se dit-il. Je viens de me faire agresser par Harry Chandler !

Il aurait donné un an de salaire pour une photo ou un témoin de la scène. En tout cas, la réaction de l'acteur confirmait l'ampleur de l'affaire.

Il ramassa son appareil et prit plusieurs clichés montrant Harry Chandler en train de regagner son yacht. La vie était belle.

26.

À mon arrivée dans la salle de la brigade, je trouvai Bec Rollins installée dans le fauteuil de Conklin.

Chargée des relations publiques pour le compte du maire, Bec était du genre direct, assez féroce, et n'aimait pas perdre son temps.

— Salut, Bec ! Qu'est-ce qui ne va pas ? Et ne me dites pas *tout*, ça, c'est *ma* réplique !

Elle m'adressa un vague sourire :

— Asseyez-vous, Lindsay. Ce que j'ai à vous montrer devrait vous intéresser.

Elle déposa son iPad devant moi, et je découvris sur l'écran une photo me montrant de dos sur le ponton de la marina.

— Où avez-vous eu cette photo ? m'écriai-je. Elle a été prise aujourd'hui !

Rollins afficha une page contenant un article intitulé : « Des crânes humains déterrés chez Harry Chandler. Boxer enquête. » Son auteur n'était autre que Jason Blayney.

Je parcourus brièvement le texte, puis me tournai vers Rollins :

— Blayney est au courant pour les crânes ! Il a appris que j'étais partie interroger Chandler sur son yacht. Il y a eu une fuite, ce n'est pas possible autrement. Une chose est sûre, elle ne vient pas de moi.

— Je sais, je sais, fit Rollins.

Elle reprit son gadget et ajouta :

— Voilà le problème, Lindsay. Blayney est une vipère. Il utilise sa carte de presse pour harceler ses proies et il n'a rien à perdre. Inutile de vous préciser qu'il est capable de manipuler les faits et de cracher son venin dans l'esprit des éventuels futurs jurés. Ses articles risquent de pas mal compliquer les choses.

— Je vous assure que je ne collabore pas avec lui, Bec. Je ne l'ai même jamais croisé.

— Évidemment. Mais je vous conseille de vous méfier de lui. Tenez, voilà à quoi il ressemble.

Elle me montra la photo d'un homme âgé d'une vingtaine d'années. Cheveux bruns, regard perçant et sourire carnassier, il avait tout d'un carcajou.

— Vous pouvez être certaine qu'il va chercher à rentrer en contact avec vous. Il faudra que vous restiez calme et lucide, vous montrer facile d'accès – mais ne lui balancez aucune info, à moins que Brady ne vous ait donné son feu vert.

— Vous saviez que Brady lui avait déjà parlé ?

— Oui. Laissez-le gérer la communication sur vos deux enquêtes en cours. Je voulais aussi vous parler de votre amie Cindy.

En entendant Rollins prononcer le nom de Cindy, mon coéquipier quitta la salle de pause et s'approcha de nous. Bec se pencha vers moi et ajouta :

— Cindy Thomas est une journaliste d'investigation.

— Merci, j'étais au courant.

— Elle va forcément chercher à obtenir des infos exclusives.

— Bon, je crois qu'on s'est tout dit.

— N'oubliez pas que tout ce qui sortira dans la presse sera gravé dans le marbre et accessible au monde entier. Tiens, salut, Rich ! fit-elle en apercevant Conklin. (Elle se tourna de nouveau vers moi.) Je file. À plus tard au téléphone.

Conklin s'installa dans le fauteuil qu'elle venait de quitter.

— Qu'est-ce qu'elle voulait ? Te demander de ne rien dire à Cindy ?

— Un truc dans le genre.

Cindy Thomas est une journaliste honnête, sérieuse et talentueuse, et elle m'aide souvent à progresser dans mes enquêtes. Bec Rollins, en revanche, représentait la bureaucrate dans toute sa splendeur, bête et disciplinée. C'était précisément pour ne pas avoir à côtoyer ce genre de personnes que j'avais refusé le poste qu'occupait actuellement Brady.

Je m'étais engagée à servir mes concitoyens au sein de la brigade criminelle. Je me devais d'être bonne. Et même plus que ça : excellente.

27.

Gobelets de café en main, Conklin et moi étions installés dans la salle d'observation pendant que le lieutenant Lawrence Meile et le capitaine Jonah Penny, respectivement de la brigade des mœurs et des stupéfiants, interrogeaient chacun des trois stups dont nous avions isolé les noms quatre heures plus tôt.

C'était assez gênant, et même carrément pénible, de voir ces gars que je connaissais depuis plusieurs années se faire cuisiner sur leur emploi du temps. À vrai dire, personne dans la salle d'interrogatoire ne semblait ravi d'être là, et surtout pas le sergent Roddy Jenkins.

Ce dernier avait beau s'exprimer d'une voix calme et posée, je sentais bien qu'intérieurement il bouillonnait. Meile lui demanda de fournir un alibi pour le jour où Chaz Smith avait été assassiné.

— Je me suis promené en bagnole. C'est souvent ce que je fais quand je suis de repos.

— Allons, Roddy. C'était avant-hier. Tu dois bien te rappeler ce que tu as fait dans l'après-midi !

— Ah oui, ça me revient. J'ai baisé ta femme ! Demande-lui. Elle a adoré ça.

Meile bondit de sa chaise et se jeta sur Jenkins. Penny le tira en arrière pour les séparer et Conklin se précipita dans la pièce juste à temps pour empêcher Jenkins de balancer un coup de poing à Meile.

— Du calme, Roddy !

Sans se soucier de Conklin, Jenkins se mit à hurler :

— Je t'ai dit que j'étais allé faire un tour en bagnole ! Tu crois que je me fous de ta gueule ? Tu m'accuses d'avoir buté ce connard ? Je ne dirai plus rien tant que mon baveux ne sera pas là !

Le nom de Roddy figurait encore sur notre liste lorsqu'il quitta la pièce après avoir balancé son badge et son flingue sur la table en beuglant : « Allez tous vous faire foutre ! »

Conklin réintégra la salle d'observation :

— Ça aurait pu mieux se passer, fit-il.

— Jenkins est un type colérique. C'est aussi quelqu'un d'intelligent et d'organisé, et il est dans la maison depuis un paquet d'années. Je l'imagine tout à fait capable d'avoir attendu Smith dans les toilettes pour l'exécuter.

— Sans compter qu'il est chez les stups depuis suffisamment longtemps pour avoir développé une véritable haine des dealers.

— C'est aussi ce que je pense.

Je froissai mon gobelet de café et le balançai dans la poubelle. Mon téléphone sonna au même instant.

J'espérais un appel de Joe, mais l'écran affichait le numéro de Claire ; je n'y perdais presque pas au change.

— Salut, ma belle. Tu as quelques minutes à m'accorder ?

28.

— Claire veut me voir, fis-je à Conklin. Je suis sûre qu'elle a du neuf à propos de l'affaire Ellsworth.

— Le prochain interrogatoire va bientôt commencer, Linds.

— J'en ai pour deux minutes.

Je m'élançai dans l'escalier pour rejoindre le hall, franchis en trombe la double porte battante et courus presque jusqu'à l'institut médico-légal.

Je retrouvai ma meilleure amie dans le froid glacial de la morgue. Sa blouse, dont la poche de poitrine s'ornait d'un papillon brodé, était boutonnée jusqu'au cou ; un pantalon de jogging complétait sa tenue.

La radio diffusait à plein volume une version de *Summertime* par l'orchestre symphonique de San Francisco. Edmund, le mari de Claire, y jouait du violoncelle.

— Le docteur Perlmutter vient de m'envoyer un rapport, hurla Claire en allant baisser le son.

— Et il dit quoi, ce rapport ?

— Des choses très intéressantes. Déjà, aucun des crânes ne correspond à celui de Cecily Chandler.

— Tu peux préciser ?

— Cecily Chandler possédait des dents parfaites. Et certaines d'entre elles n'étaient pas d'origine. Son empreinte dentaire ne correspond à aucune de celles relevées sur les crânes.

J'étais un peu déçue.

Contrairement aux tabloïds, je n'avais jamais été certaine qu'Harry Chandler avait assassiné sa femme – mais si le crâne de Cecily avait été retrouvé dans son jardin, la donne aurait été différente.

— Ça peut simplement vouloir dire que Chandler n'a pas enterré le crâne de sa femme dans son jardin. Pour les autres, il reste un suspect potentiel. Que dit-elle encore ?

— Les crânes ne présentaient aucun signe de traumatisme.

— Tu ne connais donc toujours pas les causes des décès ?

— Toujours pas, en effet. C'est pourquoi j'ai examiné le crâne de notre victime anonyme. J'ai fait un milkshake d'asticots.

— Super. J'espère que tu me donneras la recette.

— Comme tous les animaux, les asticots sont ce qu'ils mangent. Si la victime a été empoisonnée ou droguée, leur analyse toxicologique permet d'identifier les substances qu'ils ont ingérées. J'ai donc mis les vers dans le blender et j'ai envoyé la mixture au labo. Je pensais qu'on y décèlerait des traces d'arsenic, mais, au lieu de ça, on a découvert de la benzoylecgonine, le principal métabolite de la cocaïne.

— Notre anonyme était donc une toxicomane ?

— Exactement, mais la dose n'était pas létale.

— Tout ce qu'on peut en conclure, c'est qu'elle prenait de la drogue.

— On n'a pas encore fini nos investigations. Le docteur Perlmutter travaille actuellement à l'identification faciale à partir des crânes. On devrait avoir quelque chose bientôt.

— Quand ?

— Bientôt.

— Tant mieux, parce que pour l'instant on n'a toujours rien. Que dalle. *Nada.* J'ai vraiment besoin d'aide, Claire.

29.

Je regagnai la salle de la brigade en songeant aux sept crânes non identifiés. En entrant, je trouvai Conklin assis derrière son bureau à côté d'un homme mince aux cheveux raides, âgé d'une quarantaine d'années, qu'il était en train d'interroger.

Conklin me présenta à Richard Beadle, directeur de la Morton Academy. Je serrai sa main moite avant de prendre place sur mon fauteuil.

— J'ai donné mon numéro personnel, expliqua Beadle. J'ai pensé que c'était nécessaire, mais, maintenant, mon téléphone n'arrête pas de sonner. Les parents sont complètement affolés. Leurs enfants font des cauchemars et je ne sais pas comment les réconforter.

» Et la meilleure, c'est que la famille de Chaz Smith ne dialogue plus avec l'école que par l'intermédiaire de leurs avocats. Ils ont décidé de nous poursuivre en justice ! Je vous en prie, dites-moi que vous avez des nouvelles concernant ce tueur. N'importe quoi, histoire que je puisse renseigner un peu les parents et le comité.

— Je peux vous assurer que nous travaillons activement sur cette affaire, répondit Conklin. C'est devenu notre priorité numéro un. Maintenant, si vous le voulez bien, nous allons regarder ensemble les photos.

Beadle avait imprimé une quinzaine de photos prises lors du récital, principalement dans le hall de l'école juste avant que la sonnerie de l'alarme incendie ne se mette à retentir.

J'étudiai attentivement chacun des clichés et, tout en observant ces adorables bambins et leurs parents, je me demandai si mes soupçons concernant Roddy Jenkins étaient justifiés. Avait-il vraiment pu apporter à la Morton Academy un calibre .22 dérobé dans les locaux du SFPD, et abattre Smith de deux balles dans le front ?

Jenkins n'apparaissait sur aucun cliché, et je ne remarquai personne d'apparence suspecte.

Le directeur nomma chaque enfant, chaque homme et chaque femme visible sur les différentes photos. En procédant par recoupements, nous pûmes également identifier toutes les personnes apparaissant de façon parcellaire sur certains clichés.

Toutes sauf une.

Une personne portant un costume bleu, dos à l'objectif.

Ma gorge se serra. S'agissait-il du tueur ?

J'examinais à nouveau chaque photo à la recherche de l'homme en costume bleu lorsque l'ombre de Brady traversa mon bureau. Nous levâmes les yeux vers lui.

Brady avait l'air menaçant même quand il ne cherchait pas à l'être, un peu comme un *linebacker* au football américain.

Le lieutenant salua Beadle puis déposa devant lui six portraits de flics appartenant au SFPD.

Je connaissais chacun de ces hommes. Je les connaissais même très bien.

— J'aimerais que vous examiniez ces portraits avec une grande attention, monsieur Beadle. Prenez votre temps.

À l'expression de son visage, on pouvait croire que Brady allait le secouer comme un prunier jusqu'à ce qu'il identifie le tueur.

Qu'adviendrait-il si, pris de panique, Beadle désignait un innocent ?

— Je n'en reconnais aucun, annonça Beadle après avoir passé en revue chacun des six portraits. L'un d'entre eux est-il le tueur que vous recherchez ?

— Non, répondit Brady, visiblement soulagé.

L'interrogatoire terminé, je saluai mes collègues et quittai la salle de la brigade.

Des journalistes m'attendaient à l'extérieur. Plusieurs se ruèrent vers moi tandis que je les observais du haut des marches.

Maintenant que je connaissais le visage de Jason Blayney, je n'eus aucun mal à le repérer dans la foule.

30.

Blayney était le chef de file de cette meute de journalistes, dont je connaissais certains depuis plusieurs années. Les autres devaient venir d'ailleurs, attirés ici par la perspective d'une histoire croustillante qui alimenterait leurs articles pendant un bon moment : « Meurtres en série à la résidence Ellsworth. »

Tout ce beau monde se débattait pour tenter de m'approcher, jouant des coudes et se hissant sur la pointe des pieds afin d'obtenir la meilleure prise de vue.

Je fus bientôt cernée par une armée de micros et de caméras.

Je m'étais déjà retrouvée des centaines de fois dans cette situation, mais j'avais reçu pour consigne de me taire et de laisser Brady se charger de la communication.

— Sergent Boxer, appela Jason Blayney, en quoi Harry Chandler est-il impliqué dans cette affaire de crânes déterrés à Ellsworth ?

Une flopée de questions m'assaillit dans la foulée, comme autant de flèches décochées à bout portant :

— Combien de corps ont été retrouvés ?

— Les victimes ont-elle été identifiées ?

— Le SFPD a-t-il déjà procédé à des arrestations ?

— Harry Chandler fait-il partie des suspects, sergent ?

— Une déclaration, Lindsay ?

Je cherchai du regard une issue, mais la foule, dense et mouvante, semblait impossible à traverser. Me remémorant les conseils de Bec Rollins, je m'efforçai d'adopter une attitude calme et détachée.

Sur le coup, cela m'apparaissait comme la meilleure solution.

— Désolée, lançai-je après avoir pris une profonde inspiration. Je ne peux rien vous dire à ce stade de l'enquête et je vous donne donc rendez-vous ultérieurement.

Mais les journalistes ne l'entendaient pas de cette oreille. Je jetai un œil autour de moi dans l'espoir de voir quelqu'un quitter le palais de justice et attirer les caméras vers lui – au choix, le district attorney ou Jackson Brady.

Mais personne ne venait, et Jason Blayney se montrait de plus en plus insistant :

— Le public a le droit d'être informé de la situation, sergent Boxer. Si un tueur en série se balade en ville...

— Monsieur Blayney ? Vous savez bien que nous ne pouvons pas divulguer d'informations sur une enquête en cours. Du moins, vous devriez le savoir. Si vous tenez absolument à obtenir une déclaration, merci de vous adresser au service de relations avec les médias.

J'ignorai une nouvelle salve de questions et, tête baissée, me frayai tant bien que mal un chemin à travers la foule en profitant de la gravité qui m'entraînait vers le bas des marches. Je venais de traverser Bryant Street et me dirigeai vers ma voiture lorsque j'entendis quelqu'un courir derrière moi en m'appelant par mon prénom. À la voix, je reconnus Jason Blayney.

Sans me retourner, je pressai le pas et m'installai en hâte au volant de mon Explorer. J'avais presque refermé la portière lorsque Blayney agrippa la poignée.

Il se foutait de ma gueule ou quoi ? Cette fois, il dépassait les bornes.

Je me tournai face à lui et le foudroyai du regard :

— Vous êtes devenu fou, Blayney ? Inutile d'insister, je ne vous dirai rien. Et maintenant, vous allez me faire le plaisir de foutre le camp !

Un sourire se dessina sur ses lèvres. Il me prit en photo puis éteignit son magnétophone et lança d'un ton narquois :

— Merci pour cette non-déclaration, sergent Boxer.

Je savais que ma photo allait faire la une du *Post* le lendemain matin, et que j'aurais l'air d'une folle.

Pour le côté calme et détaché, je pouvais repasser.

Je fulminais en quittant le parking. Blayney n'était qu'un sale cafard, mais, au fond, lui et moi nous posions les mêmes questions.

Qui étaient les victimes ?

Pourquoi ces crânes avaient-ils été déterrés dans la propriété de Chandler ?

Et pourquoi ne tenions-nous toujours pas le moindre indice ?

31.

Cindy n'était pas seulement à l'origine du nom de notre gang, le Women's Murder Club, c'était également elle qui avait surnommé le Susie's Café notre « club-house ». Cela tenait du miracle d'avoir à disposition ce lieu magique où nous pouvions nous retrouver toutes les quatre au milieu d'une foule bruyante et joyeuse.

Tout en contrôlant mon rétroviseur pour m'assurer que cet enfoiré de Blayney ne m'avait pas suivie, je cherchais un endroit où me garer sur Jackson Street.

J'étais sur le point de faire un nouveau tour de pâté de maisons lorsque j'aperçus une voiture quitter une place de stationnement juste devant le Susie's.

Je sortis de mon Explorer, étirai mes jambes douloureusement engourdies et entrai dans le bar. Aussitôt, le calypso, les rires, les murs aux teintes orangées et les odeurs de crevettes au lait de coco et de poulet au curry m'enveloppèrent d'une douce chaleur réconfortante.

Cindy était installée devant une bière au comptoir de la salle principale. Elle portait un ensemble rose et avait relevé ses cheveux avec une barrette sertie de petits cristaux brillants.

Elle me fit signe de la main, le regard mauvais. Elle était furieuse contre moi et je savais pourquoi. Je dois même avouer que je la comprenais.

Je commandai un soda, bus une gorgée, puis engageai la conversation avec mon amie pour tenter de nous réconcilier :

— Bon, écoute, je sais que tu m'en veux, Cindy, et...

— J'en veux aussi à Richie, si tu veux savoir !

— Tiens, je t'ai apporté quelque chose.

J'ouvris mon sac et en sortis une feuille que je lui tendis. L'expression de son visage se modifia aussitôt.

— Oh... C'est l'une des victimes d'Ellsworth ?

Il s'agissait en effet d'un portrait de la victime anonyme dont la tête reposait dans une glacière à l'institut médico-légal.

— On va avoir besoin de l'aide du public pour l'identifier.

— Des précisions ?

— Tu peux dire qu'elle a sûrement été victime d'un meurtre.

— Et concernant Ellsworth ?

— Je te dirai ce que je peux, mais n'écris pas qu'elle a été retrouvée là-bas, O.K. ? Pas maintenant.

— Je te rappelle que le *Post* a déjà sorti l'affaire, Linds. Et ils sont loin d'être les seuls.

— Je te donnerai mon feu vert dès que ce sera possible. Mais, en attendant, je peux déjà te confier quelques infos... en off !

— Je t'écoute.

— Sept crânes au total ont été exhumés. Tous appartiennent à des femmes et ont été enterrés au cours des dix dernières années. Nous n'avons pu en identifier aucune, et nous n'avons aucun indice pour expliquer ce qui leur est arrivé ou comment elles ont été tuées. En gros, on ne sait rien.

— Si j'écris ça, je suis bonne pour aller m'inscrire au chômage dans la foulée !

Je crois que ma frustration devait être visible, et peut-être aussi mon sentiment de panique, car Cindy s'empressa d'ajouter :

— O.K., Linds. Du calme. Prends ça cool.

Yuki et Claire arrivèrent sur ces entrefaites. Cindy paya l'addition et, quelques secondes plus tard, nous étions assises à notre table habituelle, dans la salle du fond, attendant nos pichets de bière et nos assiettes de porc à la jamaïcaine. Yuki, toujours très volubile, entreprit de nous exposer en long, en large et en travers son idylle avec Brady, lequel, puisqu'on parlait du loup, m'appela sur mon portable pour me demander de ramener mon cul dare-dare au palais de justice.

32.

Le Vengeur avait garé son SUV Hyundai, moteur allumé, sous un lampadaire déglingué de Sunnydale Avenue, une artère laide et mal famée qui traversait le quartier de Sunnydale Projects. Tout autour de lui, sur presque deux kilomètres carrés, des baraquements délabrés et sordides s'alignaient le long de rues contrôlées par deux gangs rivaux, les DBG et les Towerside.

Une carte en quatre dimensions de ces terres maudites et de leurs habitants était gravée dans son esprit – il connaissait chaque bâtiment et chaque ruelle, chaque membre de chacun des deux gangs et chaque citoyen honnête.

Le Vengeur surveillait les véhicules et les piétons, dont le flux se concentrait autour de Little Village Market, au croisement de Sunnydale et de Hahn Street. Mais son attention se focalisait également sur un bloc de maisons situé à sa droite : murs recouverts de stuc brun clair, fenêtres du rez-de-chaussée sécurisées par des barreaux et carrés de pelouse jaunie le long du trottoir.

Une ombre surgit entre deux bâtiments.

C'était Traye, un jeune dégingandé en casquette et vêtements extra larges qui engloutissaient sa silhouette mince.

Au rythme des basses lourdes qui s'échappait des fenêtres des habitations et des voitures, il traversa la rue, grimpa à côté du Vengeur et s'enfonça dans le siège passager de manière à ne pas se faire repérer depuis l'extérieur.

Âgé de dix-neuf ans, il portait des cicatrices de brûlures au niveau du cou et des bras, consécutives à l'explosion d'un laboratoire de métamphétamine survenue dans son immeuble pendant qu'il jouait sur le trottoir.

Il avait survécu, mais la chance ne lui avait vraiment souri que l'année précédente, lorsque le Vengeur l'avait engagé comme informateur.

— J'ai parlé à l'officier de police qui t'avait arrêté. Il ne viendra pas au procès.

— C'est sûr ?

— Je t'ai promis que je ferais lever les poursuites.

— Si vous le dites...

Le Vengeur tendit au jeune homme un sac en papier contenant trois sandwichs à la viande que sa femme avait préparés, une bouteille de lait chocolaté, une boîte de cookies, vingt dollars et un paquet de cigarettes.

Le jeune ouvrit le sac et déballa un sandwich de ses mains tremblantes.

— Je n'ai rien pour vous aujourd'hui, lâcha-t-il entre deux bouchées.

— Pas grave. Prends ton temps.

Le Vengeur augmenta le volume de sa radio. Un accident de la circulation sur Mansell Street. Un problème de violence domestique sur Persia Avenue. Des renforts attendus au Stop'n Save. La soirée était plutôt calme.

Le jeune descendit d'un trait la bouteille de lait, rangea les vingt dollars dans sa chaussure et referma le sac en papier, qu'il plaça sous son T-shirt. Il se tourna vers le Vengeur et l'observa un instant en guise de remerciement.

— Faut que j'y aille.

— À la prochaine.

Traye quitta la voiture, traversa la rue et disparut dans la ruelle par laquelle il était arrivé. De là, il se dirigea vers une cave, où ce qui restait dans le sac serait réquisitionné, sans quoi le jeune se ferait frapper – à moins qu'il ne se fasse taper dans tous les cas.

Le Vengeur s'inquiétait pour Traye. Il se demandait combien de temps encore il allait survivre. Un an ? Une semaine ?

Une musique assourdissante venue d'une voiture qui remontait la rue – fallait-il appeler ça de la musique ? – attira soudain son attention. Il jeta un coup d'œil dans son rétroviseur et aperçut une BMW noire au châssis orné de têtes de mort.

O.K.

La situation commençait à devenir intéressante.

Le Vengeur enclencha la première et, lorsque la BM le dépassa, il s'engouffra à sa suite.

33.

Le Vengeur connaissait bien le conducteur de la berline et ses passagers.

Jace Winter, Bam Cox et Little T Jackson étaient de petits dealers aux casiers déjà bien remplis. Ils forçaient des enfants à voler et des femmes à se prostituer, brisant des familles, semant autour d'eux le désespoir et la destruction, et précipitant de nombreux gamins vers une mort certaine.

En bref, de vraies ordures.

Le Vengeur sortit un téléphone à carte prépayée de sa boîte à gants. Il l'avait saisi lors d'une descente et pouvait donc l'utiliser en tout anonymat. Il composa le 911 tout en remontant Sunnydale dans le sillage de la BM.

L'opérateur lui demanda la raison de son appel.

— Il y a une fusillade, lança-t-il d'une voix paniquée en prenant l'accent du ghetto. Ils sont en train de tirer sur un flic !

Il indiqua une adresse située à plusieurs kilomètres au sud de l'endroit où il se trouvait, puis raccrocha et balança le téléphone par la fenêtre.

Le Vengeur suivit la BM qui se dirigeait vers l'est le long de Sunnydale Avenue, au cœur du ghetto. Ils débouchèrent dans un quartier composé de petites maisons familiales aux façades dépouillées.

La BM tourna à droite dans Sawyer Street, et lorsqu'elle s'engagea dans Velasco Avenue, le Vengeur alluma sa sirène et son gyrophare. Devant lui, des objets se mirent à voler par les fenêtres de la BM – des flingues et plusieurs sachets en plastique.

— Rangez-vous sur le côté, articula le Vengeur dans son mégaphone. Rangez-vous immédiatement.

La BM ralentit, prit à droite dans Schwerin Street et s'arrêta le long d'un terrain vague couvert de détritus.

Le Vengeur se gara derrière elle.

Il laissa le moteur allumé, vissa le silencieux sur son arme, empoigna sa lampe torche et descendit de sa voiture. Il s'approcha du conducteur de la BM et braqua le faisceau de sa lampe sur son visage.

L'odeur de marijuana était si forte qu'une simple inspiration aurait suffi pour être défoncé.

— C'est pour quoi, monsieur l'officier ? lança Jace Winter avec un petit sourire narquois.

Ses potes et lui, complètement défoncés, ne semblaient aucunement effrayés par la situation.

— Cox. Jackson. Mains au plafond.

— Et moi, je fais comment pour vous montrer mes papiers si j'ai les mains…

— Laisse ta main droite sur le volant, Winter, et ouvre ta veste.

— C'est quoi, l'embrouille ? Je roulais à cinquante-deux au lieu de cinquante ?

— Adieu, petite merde.

Le Vengeur pointa son arme vers l'habitacle de la BM. Il tira d'abord sur Winter, deux balles dans la poitrine et une dans le cou. Jackson et Cox tentèrent vainement de s'enfuir, mais le dernier homme qu'ils devaient voir en ce bas monde les cribla de balles avant qu'ils n'aient pu s'extraire du véhicule.

Le Vengeur ôta sa veste, en enveloppa son arme et jeta le tout sur les genoux de Winter.

Une voiture passa à vive allure sans s'arrêter, sans même ralentir. Le Vengeur regagna sa Hyundai, en sortit une bouteille en plastique et retourna vers la BMW. Il versa de l'essence sur les sièges avant, la banquette arrière, puis aspergea copieusement les trois cadavres avant de craquer une allumette qu'il jeta dans l'habitacle.

Il y eut un bruit sourd et le véhicule s'embrasa en quelques secondes.

Tête basse, le Vengeur retourna s'installer au volant de son SUV. Il regarda la BM exploser tout en faisant marche arrière, effectua un rapide demi-tour et repartit en direction du ghetto.

Il éprouvait une ivresse presque physique.

Il se sentait rajeuni, plus léger et comme purifié ; il avait donné le meilleur de lui-même, et puisque personne ne le féliciterait, il s'autocongratula pour cette exécution réalisée dans les règles de l'art. Le monde était maintenant débarrassé de trois racailles.

Dans une vingtaine de minutes, le Vengeur serait de retour chez lui pour regarder son match à la télé, mais il repenserait à Winter, à son petit air suffisant, à l'expression de son visage lorsqu'il avait compris qu'il était sur le point de mourir.

Le Vengeur se cala sur la fréquence de la police ; les flics étaient toujours à la recherche de l'officier qui s'était fait descendre. Ils ignoraient encore de qui il s'agissait et où la fusillade avait eu lieu. Il éteignit sa radio, introduisit un CD de rock dans le lecteur et rentra chez lui en sifflotant.

DEUXIÈME PARTIE

LE GRAND CIRQUE MÉDIATIQUE

34.

J'arpentais un terrain vague constellé d'immondices sur Schwerin Street, une rue truffée de nids-de-poule qui traversait le quartier de Visitacion Valley.

D'ordinaire quasi déserte, elle était ce soir-là bloquée dans les deux sens par une vingtaine de voitures de police, trois véhicules de pompiers, deux ambulances et plusieurs camionnettes.

Devant le terrain vague, le long de la clôture, une épaisse fumée provenant d'une voiture incendiée obscurcissait le ciel nocturne.

Prise d'une quinte de toux, je m'éloignai de la carcasse tandis que Chuck Hanni, notre enquêteur spécialisé dans les incendies, explorait la scène avec l'aide de son équipe. L'un de ses principaux collaborateurs, répondant au nom de Lacy, était un labrador noir doté d'un flair à toute épreuve, capable de détecter les liquides inflammables avec une efficacité digne de K-9.

Ma dernière rencontre avec Chuck remontait à une enquête sur l'explosion d'un laboratoire de métamphétamine installé dans un vieux bus scolaire, sur Market Street, en pleine heure de pointe. Il y avait eu plusieurs victimes mais, Dieu merci, aucun enfant. Chuck avait expertisé la scène avec une maîtrise impressionnante, comme il le faisait ce soir-là avec cet incendie de voiture qui ressemblait fort à un triple homicide.

Lacy se mit à aboyer pour attirer son attention. Chuck s'approcha du labrador, s'empara d'un objet dans la carcasse calcinée et le plaça dans un sachet en papier. Claire et Charlie Clapper vinrent à sa hauteur et discutèrent un instant avec lui avant de prendre possession de la scène de crime.

Les techniciens entreprirent alors d'extraire les cadavres tandis que Chuck me rejoignait pour faire le point.

Il portait un pantalon en toile, une chemise blanche et un blouson, et même s'il était toujours le premier à « se salir les mains » dans ce genre de situation, je ne me rappelais pas l'avoir déjà vu avec la moindre tache sur ses vêtements.

— J'ai déjà pas mal d'éléments à te communiquer, me dit-il.

Comme d'habitude, je voulais tout savoir, et tout de suite.

35.

— Le feu a pris côté passager, m'expliqua Chuck. Comme tu peux le constater, le compartiment moteur est presque intact. Les flammes se sont probablement échappées par la fenêtre ouverte.

— Les fenêtres étaient ouvertes ?

— Uniquement celle du conducteur.

— Ils ont peut-être été arrêtés pour un contrôle d'identité. Carte grise, permis de conduire... Excuse-moi, Chuck. Je t'ai interrompu.

— Pas de problème. Voici comment les choses se sont déroulées : pendant que l'intérieur brûlait, le pare-brise a cédé et la banquette arrière s'est entièrement consumée ; puis le feu s'est propagé au coffre et a détruit l'arrière de la voiture.

— Oui, en effet. Les pneus arrière ont fondu. Quelle est l'origine de l'incendie ?

— Lacy a marqué l'arrêt devant les restes d'une bouteille en plastique qui avait roulé sous le siège conducteur. Je pense qu'elle contenait de l'essence, et j'ai l'impression que la banquette arrière a été aspergée. Le feu a sûrement été allumé avec un briquet ou une allumette. Je doute que le labo parvienne à isoler des empreintes digitales ou des traces d'ADN sur la bouteille, mais ça vaut le coup d'essayer. Qui sait, avec un peu de chance...

J'essayai de me représenter la scène :

— Quelqu'un a forcé le conducteur à s'arrêter, a aspergé l'habitacle avec de l'essence et y a mis le feu. Dans ce cas, comment se fait-il que les victimes soient restées à l'intérieur ? Pourquoi n'ont-elles pas quitté la voiture lorsque le feu a pris ? Elles étaient peut-être déjà mortes ?

— Claire est en train d'effectuer des prélèvements dans leurs cavités nasales. D'ici quelques secondes, elle pourra te dire s'ils ont respiré de la fumée.

— O.K. Quoi d'autre ?

— Patience, Lindsay, répondit Chuck en souriant. J'y viens. En fouillant un peu, j'ai découvert plusieurs douilles de calibre .22.

Un frisson me parcourut l'échine. Le genre de frisson qu'on ressent lorsqu'on se rend compte qu'on a vu juste. Ça n'arrive pas tous les jours. Des flingues de calibre .22, il y en a au moins un million en circulation dans le pays, et notre flic justicier avait utilisé l'un d'entre eux pour abattre Chaz Smith. Peut-être avait-il utilisé le même pour supprimer d'autres dealers dans ce quartier.

Je remerciai Chuck puis appelai Claire pour lui demander si elle avait retrouvé des traces de suie dans les narines des trois victimes, mais je fus interrompue par le cri lancinant d'une sirène annonçant l'arrivée d'une autre voiture de police.

C'était Conklin. Il ouvrit sa portière et se précipita vers moi. Son hyperventilation n'avait rien à voir avec le sprint qu'il venait d'effectuer.

— Nous avons un témoin ! m'annonça-t-il.

Pour le coup, c'était comme si je venais de recevoir un énorme cadeau : Noël, anniversaire et fête des mères réunis !

Une femme avait vu un flic arrêter la voiture sur Schwerin Street peu de temps avant l'incendie.

Elle avait appelé le 911 et communiqué son nom et son numéro de téléphone à la standardiste. Elle souhaitait vivement témoigner.

36.

Anna Watson était assise face à nous, de l'autre côté de la table pliante en formica installée dans la camionnette qui nous servait de poste de commandement. C'était une petite femme noire âgée de soixante-quatre ans, qui fumait cigarette sur cigarette en éteignant les mégots dans un cendrier en aluminium que nous avions mis à sa disposition.

Je tentais en vain de contenir mon empressement. Anna Watson connaissait les victimes, qu'elle avait croisées juste avant qu'ils ne soient abattus et leur voiture incendiée.

— Je passais dans Schwerin Street pour aller chez ma fille, à Daly City. Je roulais assez loin de la BM de Jace, mais je l'avais reconnue à cause des autocollants, et je connaissais ces gars-là depuis qu'ils étaient gamins. J'ai été la nounou de deux d'entre eux.

Je lui tendis un stylo et un bloc-notes et lui demandai d'écrire leurs noms. Tandis qu'elle s'exécutait, je vis ses lèvres trembler et des larmes embuer ses yeux.

La dure réalité s'imposait à elle brutalement. Trois personnes qu'elle connaissait venaient de perdre la vie. Elle me remit la liste, et, pendant que Conklin poursuivait l'interrogatoire, je rentrai les noms dans l'ordinateur : Jace Winter, Marvin « Bam » Cox, Turell « Little T » Jackson.

Winter, le plus vieux des trois, était âgé de dix-neuf ans. Tous appartenaient à un gang et avaient été arrêtés à maintes reprises lorsqu'ils étaient encore mineurs : possession de substances illicites, possession avec intention de vendre, tentative de meurtre et vol.

Ils n'avaient jamais été inquiétés par la justice car les poursuites avaient été systématiquement abandonnées. Jamais aucun témoin ne s'était présenté devant le tribunal. Les preuves avaient disparu. À vrai dire, personne ne voulait se mettre à dos ce genre de truands. Peur de se faire canarder dans sa maison. Peur que ses enfants ne se fassent agresser sur le chemin de l'école. Peur de mourir, tout simplement.

— Je donnais à manger à mes petits-enfants en regardant les infos et j'ai vu l'hélico de la télé qui filmait la voiture en train de brûler. Je me suis dit, Seigneur ! (Ses mains s'étaient mises à trembler. Elle s'alluma une énième cigarette.) Je pourrais avoir un verre d'eau, s'il vous plaît ?

— Bien sûr, répondit Conklin.

Il se leva, prit une bouteille d'eau dans le mini-frigo et la tendit à Watson.

— J'ai tout de suite appelé le 911, reprit la femme, parce que j'avais vu cette voiture se faire arrêter par la police. Je suis passée juste à côté d'elle en allant chez ma fille Malika.

— Que les choses soient bien claires, fit Conklin. Aux alentours de 18 heures, vous rouliez derrière cette BMW, que vous avez ensuite dépassée parce que le conducteur avait été sommé de se ranger sur le côté par un policier, c'est bien ça ?

— C'est tout à fait ça.

— La voiture roulait-elle à vive allure ?

— Pas du tout. Je suppose que Jace était recherché. En tout cas, c'est ce que j'ai pensé quand je l'ai vu se faire arrêter par ce flic, avec les gyrophares et tout le tintouin.

— Avez-vous vu le visage du policier en question ?

Watson répondit par un signe de tête négatif.

— Il était de dos et il avait braqué sa lampe torche sur Jace. J'ai surtout regardé les gyrophares et le visage de Jace.

— Vous souvenez-vous de son véhicule ?

— Je n'y ai pas vraiment fait gaffe. J'ai ralenti pour ne pas risquer de me faire arrêter moi-même, et puis j'ai continué ma route.

— S'agissait-il d'un véhicule de patrouille noir et blanc ?

— Non, ça ressemblait plutôt à un SUV.

— Y avait-il un insigne sur les portières ?

Nouveau signe de tête négatif.

— Pourriez-vous nous décrire les gyrophares ?

— Je me rappelle que les phares avant clignotaient l'un après l'autre.

— Des wigwags, fit Conklin.

— Il y avait aussi des lumières bleues et rouges au niveau de la calandre.

— Merci beaucoup pour ces précisions, madame Watson.

— Vous croyez que c'est ce policier qui a mis le feu à la voiture ?

— Nous ne pouvons rien affirmer pour l'instant, répondit Conklin. Il va d'abord falloir vérifier les noms que vous nous avez donnés. Verriez-vous un inconvénient à nous accompagner au palais de justice afin d'observer des photos de véhicules et des portraits ?

— Et si je m'étais arrêtée ? lança Watson. Ces garçons seraient peut-être encore en vie.

— Ou alors, vous auriez pu mourir vous aussi, intervins-je. Vous n'avez pas à vous sentir coupable, madame Watson. Et sachez que votre témoignage va nous être infiniment précieux pour retrouver la personne qui les a tués.

À cet instant, Watson éclata en sanglots. Cette femme était peut-être la seule personne au monde à pleurer la mort de ces truands.

— Je me demande qui va prendre soin de moi à présent, fit-elle en levant vers Conklin son visage ruisselant de larmes.

— Que voulez-vous dire ?

— Maintenant que Jace est mort, comment je vais faire pour me procurer...

Conklin l'arrêta d'un geste de la main :

— Je suis navré que vous ayez perdu votre dealer, madame Watson, mais, malheureusement, je ne peux rien faire pour vous.

Watson hocha la tête.

— Si vous voulez bien me déposer chez moi, juste une minute. Après ça, je viendrai avec vous pour regarder les photos.

37.

Il était 23 heures passées lorsque j'arrivai chez moi. Je ne rêvais que d'une chose : me reposer en savourant un bol de crème glacée en compagnie de Martha et de mon bébé.

J'introduisis ma clé dans la serrure, mais la porte était déjà ouverte. J'entrai et vis de la lumière dans le salon. La télé aussi était allumée. Joe n'était pourtant pas censé être de retour avant un jour ou deux.

Une chouette surprise !

— Joe ?

Martha se précipita dans l'entrée, et une personne habillée de vêtements amples apparut derrière elle. La silhouette avait beau être en contrejour, je sus au premier coup d'œil qu'il ne s'agissait pas de mon mari. Je portai aussitôt la main à mon arme de service, puis le déclic se fit.

La femme aux longs cheveux roux, au nez chaussé d'élégantes lunettes, n'était autre que Karen Triebel, la « nounou » de Martha – et à ma connaissance, elle n'avait rien d'une personne dangereuse. Pourtant, mon cœur battait comme si je venais d'intervenir sur un braquage à main armée.

À ma réaction de frayeur succéda un sentiment de honte.

J'avais complètement oublié d'appeler Karen pour la prévenir de mon retard. Je m'excusai et la remerciai d'être restée aussi tard.

— On a regardé un film, fit Karen. (Elle se tourna vers Martha.) Pas vrai, ma fifille ? Je me suis fait une pomme de terre au four et j'ai fini le pot de crème glacée. J'espère que ça ne vous dérange pas ?

— Non. Bien sûr que non. Je suis vraiment désolée, Karen. Je n'ai pas vu l'heure tourner.

— Je crois que Martha en pince pour Tom Cruise !

Je raccompagnai Karen jusqu'à sa voiture et restai sur le trottoir jusqu'à voir disparaître ses phares au loin.

Le téléphone se mit à sonner lorsque j'entrai dans mon appartement.

Je vis apparaître à l'écran le nom de ma sœur Catherine, qui habitait à Half Moon Bay, une ville côtière au sud de San Francisco.

Je suis son aînée de quatre ans et, comme elle, j'ai déjà connu un divorce. Maman de deux filles, elle me coachait depuis le début de ma grossesse afin que tout se passe au mieux pour ce bébé dont nous ignorions encore le sexe – et dont le prénom, par voie de conséquence, restait à déterminer.

Je décrochai le combiné, m'installai dans le fauteuil de Joe et posai ma main sur mon ventre ; Martha tourna un instant sur elle-même avant de se coucher à mes pieds.

— Pourquoi tu ne m'as pas rappelée, Linds ? Je m'inquiétais.

— Je viens juste de rentrer.

— Joe est toujours en voyage ?

— Il sera là demain, je crois.

— Ça va ? À ta voix, on dirait un zombie.

— Merci de cette gentille remarque, Cat ! C'est vrai que j'ai un peu l'impression d'être une morte-vivante ce soir.

— C'est normal, tu es enceinte. Je me souviens que, pendant ma grossesse, j'avais l'impression d'avoir perdu cinquante points de QI.

Je partis d'un grand éclat de rire, puis ma sœur m'incita à évoquer les deux affaires sur lesquelles j'enquêtais. Sans rentrer dans les détails, je lui livrai les informations essentielles concernant les crânes retrouvés dans la résidence Ellsworth. Je lui racontai ensuite le triple homicide qui m'avait retenue si longtemps, d'abord sur la scène de crime, puis au palais de justice, à la morgue, et enfin au laboratoire médico-légal.

— Le tueur est une sorte de justicier solitaire, expliquai-je à Cat. Un type qui a décidé de faire le boulot de la police seul dans son coin.

— S'il est armé et dangereux, tu ne crois pas qu'il risque de s'en prendre à toi ?

— Ne t'inquiète pas pour moi, va.

— Fais quand même gaffe, Linds.

Elle embraya sur l'importance de se reposer pour ne pas risquer un *burn out*, et me rappela qu'une charge de travail trop importante était préjudiciable pour la santé du bébé. J'étais obligée d'admettre qu'elle avait raison.

Un signal d'appel retentit soudain dans mon oreille. Je baissai les yeux vers l'écran, et si je n'avais pas cherché à tout prix à écourter cette conversation avec ma sœur, je n'aurais sûrement pas pris l'appel. Il provenait de Jason Blayney.

J'expliquai à Cat que j'avais un coup de fil urgent, lui dis au revoir et répondis au journaliste du *San Francisco Post* d'une voix glaciale.

38.

— Il est tard, monsieur Blayney. À l'avenir, je vous demanderai de ne plus chercher à me contacter. Adressez-vous à Bec Rollins, c'est elle qui est chargée des relations publiques. Dites que vous appelez de ma part, elle sera ravie de répondre à vos questions.

— Nous avons pris un mauvais départ, vous et moi, fit Blayney. Et j'ai bien conscience que tout est de ma faute. Je suis comme ça, je m'emporte. Ça ne vous arrive jamais ?

— Qu'est-ce qui ne m'arrive jamais ?

— De vous laisser emporter lorsque vous êtes à fond dans une enquête ? En ce qui me concerne, quand un sujet me passionne, je ne vis, je ne respire que pour lui. J'en rêve même pendant mon sommeil.

Je voyais clair dans son jeu : Blayney cherchait à me faire dire que j'étais le genre de personne à se laisser facilement dépasser par ses émotions. Me prenait-il pour une débile ?

— Si je peux comprendre que les journalistes se laissent parfois gagner par leur enthousiasme, je pense qu'ils doivent veiller à ne pas verser dans la persécution et le harcèlement.

Blayney éclata de rire :

— O.K., sergent. Un point pour vous. Mais j'ai quand même une proposition à vous faire.

— Vraiment ?

Je me sentais épuisée. Contrairement aux dealers qui avaient trouvé la mort ce soir-là, j'avais inhalé pas mal de fumée. Et contrairement à Chuck Hanni, je m'étais mis de la suie un peu partout. Je n'avais pas seulement l'air calcinée, je l'étais.

— Bonne nuit, monsieur Blayney.

— Attendez. Pour commencer, je suis persuadé que vous n'irez pas en enfer si vous m'appelez Jason. Ensuite, voici ma proposition.

Je laissai échapper un long soupir.

— Acceptez de déjeuner avec moi. J'aimerais vous expliquer ma démarche. Comme ça, vous verrez que je ne suis pas un mauvais bougre. Je suis de votre côté, vous savez. Je le serais même encore davantage si nous travaillions main dans la main.

Ce fut mon tour de rire de bon cœur. Ce type était décidément très drôle. Il me faisait le vieux coup du journaliste qui devient votre pote parce qu'il a besoin de vous pour son travail, et qui vous trahit sitôt qu'il a réussi à gagner votre confiance.

— Je vais vous laisser mon numéro. N'hésitez pas à vous en servir. Je dors avec mon téléphone à côté de l'oreiller.

— Comme tout le monde.

— Je réponds toujours quand on m'appelle.

— Faites de beaux rêves, Blayney.

— Attendez, Lindsay.

— Quoi ?

— Prenez au moins mon numéro, O.K. ? Qui sait ? Vous pourriez changer d'avis.

Je fis semblant de noter le numéro qu'il me communiqua puis raccrochai enfin. Je rêvais d'une Corona bien fraîche, mais, au lieu de ça, je me servis un grand verre de lait entier et allai me glisser sous la couette, les pieds posés sur une pile d'oreillers.

Martha grimpa à côté de moi et posa sa tête sur mon ventre, à l'endroit où j'imaginais que se trouvaient les fesses de mon bébé. Je leur parlai à tous les deux pendant quelques minutes, partis d'un grand éclat de rire puis allumai la télé pour suivre les informations.

Je m'endormis avec la lumière, sans avoir programmé mon réveil ni m'être brossé les dents. Le téléphone me réveilla au milieu de la nuit. L'appel provenait de Charlie Clapper, au labo, qui devait avoir enchaîné deux, voire trois services d'affilée.

— On a retrouvé une arme dans la voiture, me dit-il. J'ai pensé que tu voudrais être la première informée.

— Quel genre d'arme ?

— Un calibre .22. Le numéro de série avait été effacé, mais on a réussi à le faire apparaître avec de l'acide, et devine quoi ?

— C'est l'un des flingues qui a disparu de notre salle des preuves.

— Bingo !

— Ça va intéresser Brady.

— Il est le prochain sur ma liste.

Je remerciai Charlie et lui souhaitai une bonne nuit.

Je restai à fixer le plafond jusqu'à 6 heures du matin, puis m'habillai pour sortir faire un tour avec Martha. Le Vengeur, comme l'avait surnommé Blayney, avait déjà fait sept victimes, parmi lesquelles un agent d'infiltration de la brigade des stupéfiants.

Ce tueur était sur sa lancée et les meurtres se succédaient à une cadence de plus en plus rapide. Il était clair qu'il prenait de l'assurance et n'avait peur de rien.

Ces derniers temps, en arpentant les couloirs du palais de justice, je ne pouvais m'empêcher de regarder chaque flic que je croisais en me demandant s'il n'était pas ce justicier solitaire parti en croisade contre les dealers de la ville. J'avais le sentiment que le Vengeur était parmi nous, incognito, et que je le connaissais.

39.

À 8 heures du matin, Conklin et moi nous trouvions à bord d'une voiture banalisée.

— J'ai encore dormi sur le canapé cette nuit, m'expliqua mon coéquipier. Si ça continue, je vais devoir investir dans un modèle *king-size* ou me faire amputer des pieds.

— Cindy est fâchée ?

— Elle m'a dit que c'était à cause de l'odeur de fumée, mais j'ai bien vu qu'elle était furieuse.

— Oui, je sais. Mais qu'est-ce qu'on peut faire ? Lui dire qu'on est à la recherche d'un flic qui bute des dealers ? O.K. : elle aura le scoop, et nous, on n'aura plus qu'à enfiler des gants blancs pour aller faire la circulation.

Conklin éclata de rire :

— Je me marre, mais ça n'a rien de drôle.

— T'inquiète. Ça lui passera.

— Ah oui ? Quand ?

— Désolée, je ne peux rien faire de plus pour améliorer ta vie de couple. Je te rappelle qu'elle est également furieuse contre moi.

— Peut-être, mais toi au moins tu dors dans ton lit ! lança Conklin en riant.

Il tourna pour s'engager dans Vallejo Street, à présent barricadée et envahie par une foule de journalistes – il y avait même des équipes de télé venues de l'étranger.

Rien de tel pour attirer les fouille-merde du monde entier que la découverte de têtes décapitées dans le jardin d'une star du cinéma déjà jugée pour le meurtre de sa femme !

Je fus assez vite repérée, et un petit groupe se dirigea vers notre voiture tandis qu'un policier en uniforme nous ouvrait la barrière pour nous laisser passer.

— Tiens, voilà ton pote, me dit Conklin en désignant le type posté devant la barricade en train de prendre des photos.

Tout sourires, Jason Blayney semblait d'excellente humeur.

— Ouais, mon super pote. Il veut m'inviter à déjeuner.

— Tu comptes accepter ?

— À ton avis ?

Nous roulâmes jusqu'à la propriété d'Ellsworth puis laissâmes notre voiture sous la surveillance de nos collègues du SFPD.

En franchissant le portail, nous trouvâmes Ricky Perez, le jardinier de Harry Chandler, qui nous attendait assis sur les marches du perron. Il était âgé d'une vingtaine d'années, et son impressionnante musculature se devinait sous son sweat-shirt et sa veste en flanelle.

Il possédait un grand et beau sourire.

Ce type était manifestement trop jeune pour avoir travaillé ici à l'époque où les crânes les plus anciens avaient été enterrés, mais j'espérais que son témoignage pourrait nous mener jusqu'à ce tueur doté d'une sensibilité de décorateur et d'une soif de sang digne de Jeffrey Dahmer.

40.

Je nous présentai, mon coéquipier et moi, puis demandai à Ricardo « Ricky » Perez ce qu'il savait des têtes que nous avions découvertes exposées sur le patio, entourées de chrysanthèmes.

— Rien à part ce que j'ai lu dans la presse et ce que m'a dit Janet Worley. Elle m'a cuisiné bien comme il faut, d'ailleurs. Vous devriez l'engager pour interroger vos suspects. Je vous garantis qu'avec elle plus besoin de coups de bottin !

Il nous observa dans l'attente d'une réaction amusée qui ne vint pas, ce qui sembla le surprendre. Un jeune playboy tel que lui, employé par une star du cinéma, devait être habitué à ce que les gens lui vouent une certaine admiration.

Je demandai à Perez de me décrire son emploi du temps de la semaine passée, exercice auquel il se prêta de bonne grâce. Il était sorti avec trois filles différentes au cours du week-end et avait passé la nuit dans son appartement en compagnie de son rencard du dimanche.

Il avait été réveillé le lundi matin par un coup de fil de Janet Worley, qui l'avait mis au courant de la macabre découverte. Selon lui, cette histoire était « un truc vraiment chelou », et il n'avait aucune idée de la manière dont ces crânes avaient pu être enterrés juste sous ses pieds.

Ce type semblait réellement perplexe, ou alors c'était un menteur pathologique.

— Quand êtes-vous venu dans le jardin pour la dernière fois ? demandai-je.

— Vendredi dernier. Je travaille le mardi et le vendredi. Je peux vous assurer qu'il n'y avait aucun crâne nulle part lorsque j'ai désherbé les plates-bandes. Et je n'ai remarqué aucune trace de terre fraîchement retournée. Quand pensez-vous que je vais pouvoir remettre un peu d'ordre dans le jardin ?

— Vous travaillez uniquement pour M. Chandler ?

— Non, mais c'est mon job principal.

Nous nous engageâmes sur le chemin qui longeait le mur d'enceinte. Le ruban de police était encore en place, de même que la tente principale, à côté du patio. Des monticules de terre projetaient leur ombre sur la pachysandre.

Perez nous expliqua qu'il travaillait à Ellsworth depuis seulement trois ans, mais qu'il était très attaché à cet endroit. Il manifesta une certaine agitation lorsqu'il découvrit les dégâts infligés au jardin par l'équipe scientifique :

— Regardez-moi ce chantier ! C'est hallucinant ! Franchement, ça fout les boules un truc pareil. Pour sûr celui qui a fait ça connaît le jardin. C'est peut-être même quelqu'un que je connais.

— À qui pensez-vous, Ricky ?

— Écoutez, j'ai envie de vous dire un truc, mais de manière non officielle.

— O.K., fit Conklin en entrant dans son jeu.

— Nigel Worley déteste M. Chandler. Et je sais pourquoi. C'est Janet qui m'a fait la confidence. Elle a flashé sur Chandler à l'époque où ils ont emménagé ici, il y a une dizaine d'années.

— Janet Worley a flashé sur M. Chandler ?

— Elle m'a dit qu'ils avaient juste eu une petite aventure et qu'elle n'en voulait pas à M. Chandler. Elle était mariée. Lui aussi. Ça a duré quelques mois. Elle m'a avoué qu'elle l'aimait toujours, d'une certaine manière.

— « D'une certaine manière » ? Ce sont les mots qu'elle a employés ?

— Ouais, enfin un truc dans le style. En tout cas, je ne pense pas qu'elle ait pu tuer des gens avant de les décapiter et d'enterrer leurs crânes !

— Et Nigel ?

— Nigel est un caractériel, pas du genre très subtil. S'il devait tuer quelqu'un, il se contenterait de le buter, point barre. Et le premier sur la liste aurait été M. Chandler.

Perez nous montra ensuite le portail qui donnait sur un étroit passage menant à Ellsworth Place. Il était le seul à posséder la clé du cadenas. La serrure ne semblait pas avoir été crochetée.

Je sortis de ma poche intérieure le portrait de la victime anonyme :

— Connaissez-vous cette femme, monsieur Perez ?

Le jeune homme s'empara du dessin et l'observa pendant plusieurs secondes.

— Elle fait partie des victimes ?

— Oui.

— Elle a donc eu la tête tranchée ?

— Vous la reconnaissez, oui ou non ?

— Son visage m'est familier, mais je ne la connais pas. Je ne sais pas... J'ai dû la croiser dans un bar ou quelque chose comme ça. (Il me rendit le portrait.) Vous savez qui vous devriez aller voir ? Tom Oliver, le chauffeur de M. Chandler. Il travaille pour lui depuis une vingtaine d'années. Qui sait, il la reconnaîtra peut-être ?

41.

Je pressai le bouton de l'interphone face à l'étiquette indiquant T. L. OLIVER, au numéro 4, l'un des quatre bâtiments de six étages qui s'alignaient sur Ellsworth Place.

— Monsieur Oliver ? lança Conklin. C'est la police.

T. Lawrence Oliver débloqua la porte, puis nous gravîmes l'escalier jusqu'au dernier étage. Le chauffeur de Harry Chandler nous attendait sur le palier.

C'était un Blanc âgé d'une quarantaine d'années, taillé comme un haltérophile. Vêtu d'un jean et d'une chemise imprimée, il portait un anneau à l'oreille gauche, ce qui, dans les années 1990, l'aurait rangé dans la catégorie des hétérosexuels. À notre époque, cela signifiait simplement qu'il aimait porter des boucles d'oreilles.

Nous prîmes place dans son appartement miteux sans vue sur le jardin, et Conklin commença à l'interroger. Si Oliver répondait aux questions, il semblait néanmoins nerveux et ne cessait de tripoter sa montre, qui ressemblait à une authentique Rolex en or.

— Je prends des congés quand monsieur Harry est en voyage. Mardi, dans l'après-midi, je les ai déposés à la marina, Kaye et lui, puis je suis allé à Vegas. J'y ai passé le week-end.

— Où avez-vous logé ? demanda Conklin.

— Au Mandala Bay. J'ai passé pas mal de temps à jouer au black jack. Je n'ai ni perdu ni gagné, mais j'ai quand même eu de la chance, si vous voyez ce que je veux dire…

— Comment s'appelait cette personne chanceuse ? demanda Conklin.

— Attendez voir… Elle s'appelait Judy Lemon, ou Lennon, quelque chose comme ça. Elle bosse comme serveuse au bar du casino. J'ai gardé ses coordonnées.

Il nota le numéro de téléphone sur un papier que Conklin lui tendit, puis ajouta :

— Vous avez encore beaucoup de questions ?

— Détendez-vous, monsieur Oliver. Il nous reste pas mal de points à aborder.

— Je peux vous offrir une bière ? Ça ne vous dérange pas si je m'en ouvre une ?

Une bière à 9 heures du matin... Oliver était-il au courant de quelque chose ? Qu'avait-il donc à se reprocher ? Il s'installa sur une chaise qu'il avait ramenée de la cuisine, puis Conklin et moi poursuivîmes l'interrogatoire à tour de rôle.

Oliver nous apprit qu'il avait commencé à travailler pour Chandler bien avant l'époque du procès. Pendant l'incarcération de son patron, il était parti à Los Angeles, où il avait été le chauffeur d'un ami de Chandler, producteur de télévision. Il était revenu à Ellsworth après l'acquittement.

Il n'avait rien à nous dire concernant les crânes retrouvés dans le jardin, hormis le fait qu'il trouvait ça « flippant ». Son suspect numéro un était Nigel Worley, même s'il ne voyait pas la raison qui aurait pu le pousser à commettre de telles atrocités.

Lui non plus ne connaissait pas la victime anonyme.

Oliver nous parla de Chandler en termes très positifs, vantant sa générosité et affirmant que jamais il n'aurait pu tuer qui que ce soit. Selon lui, les seuls vices de Chandler se résumaient à son attirance pour les femmes et son goût du luxe.

— Il m'a donné cette montre quand il en a eu assez de la porter, fit Oliver en nous montrant sa Rolex à sept mille dollars.

Je n'appréciais guère ce type, mais était-il pour autant le tueur que nous recherchions ? Après lui avoir expliqué que nous allions vérifier ses alibis, je lui remis ma carte de visite. Il souhaitait tant nous voir déguerpir que je décidai de repousser une dernière fois le moment de prendre congé :

— Monsieur Oliver, si vous avez un lien quelconque avec ces crimes, c'est maintenant qu'il faut nous le dire, avant que les choses n'aillent plus loin. Mon coéquipier et moi pouvons vous aider. En disant que vous êtes venus nous parler de votre propre chef, par exemple.

— Non, non. Je n'ai rien à voir là-dedans. En rentrant de Vegas, j'ai vu tout un tas de bagnoles de flics garées devant la propriété, et je me suis dit, « c'est quoi cette merde ? ».

» Le seul truc qui m'inquiète, c'est que je suis allé à Vegas avec la Bentley de monsieur Chandler. Comme vous vous en doutez, je ne suis pas censé l'emprunter et je ne tiens pas à être viré. Ne lui dites rien, s'il vous plaît. Vous pouvez vérifier en appelant le garage de l'hôtel. Toutes mes allées et venues ont été enregistrées.

— Nous le ferons, monsieur Oliver. Mais je ne peux pas vous promettre de ne rien dire à votre patron. Si jamais un détail vous revenait en mémoire, je vous prierais de bien vouloir me contacter. À n'importe quelle heure.

— Je viens justement de penser à quelque chose. Connaissez-vous LaMetta Wynn ?

42.

LaMetta Wynn était l'assistante personnelle de Harry Chandler. Elle vivait dans une petite maison victorienne de Golden Gate Heights, un quartier résidentiel où chaque habitant possédait un porche et un carré de pelouse.

Blanche, la cinquantaine, Wynn avait les cheveux roux, des yeux pâles et le regard perçant.

Elle nous fit entrer et nous prîmes place dans son salon. Des paysages à l'aquarelle étaient accrochés aux murs, et un râtelier accueillait un fusil de chasse au-dessus du canapé. Elle répondit volontiers à nos questions concernant son emploi du temps, nous expliquant qu'elle avait passé le week-end seule.

— J'en ai profité pour dormir et consulter mes e-mails, mais je suis restée en contact avec Harry Chandler. Il me verse un salaire conséquent, c'est normal que je reste toujours joignable.

— Il vous a contactée au cours du week-end ?

— Oui. Il était à Monterey et il voulait que je lui indique des restaurants où aller dîner avec Kaye.

— M. Chandler semble avoir une vie sociale très active.

— Je ne vais pas vous faire la liste de toutes ses conquêtes. Croyez-moi, il y en a eu un certain nombre. Demandez à Harry, il sera ravi de vous donner les noms et les dates si vous les lui demandez. En ce qui concerne votre enquête, j'aimerais vous aider mais j'ignore qui a pu faire ça.

— Tous les crânes exhumés dans le jardin appartiennent à des femmes, fis-je.

LaMetta Wynn se laissa aller contre le dossier de son fauteuil et resta un instant pensive avant de reprendre la parole :

— Expliquez-moi quelque chose : si Harry Chandler a tué toutes ces femmes, pourquoi aurait-il enterré leurs crânes dans son propre jardin ?

— Vous partez du principe que les tueurs agissent forcément de manière logique. Ce n'est pas toujours le cas.

Je sortis le portrait de la victime anonyme. Le papier commençait à se froisser à force d'être manipulé.

Wynn se pencha vers la feuille et me la prit des mains.

— Je la connais ! s'exclama-t-elle. Elle fait partie des femmes qui ont été tuées ?

— Oui. De qui s'agit-il ?

— Elle s'appelle Marilyn. Je crois que son nom de famille est Varick. C'est une SDF. Il m'est déjà arrivé de lui donner un peu d'argent et de la nourriture. Je sais qu'elle vient de l'Oregon mais je n'ai jamais discuté longtemps avec elle.

— Harry Chandler la connaissait ?

— Je ne vois pas comment il aurait pu la rencontrer. Et je tiens à vous dire que Harry Chandler n'a rien d'un homme violent. Je le connais bien. C'est un séducteur, mais à part briser des cœurs, il est incapable de faire du mal à quelqu'un.

43.

Conklin et moi nous rendîmes au yacht club dans la foulée. Je tenais à connaître l'opinion de mon coéquipier à propos de Harry Chandler. Et je voulais également voir le visage de l'acteur lorsqu'il découvrirait le portrait de Marilyn Varick.

Comme la fois précédente, Chandler était allongé sur un transat au pied de la passerelle. Il m'adressa un grand sourire, serra la main de Conklin et lança :

— J'espère qu'il y a du nouveau.

— Il y en a, monsieur Chandler. Il y en a !

— Bien. Suivez-moi.

Conklin resta un instant bouche bée en découvrant le salon installé sur le pont arrière. J'avais dû avoir à peu de chose près la même réaction.

— Les crânes retrouvés dans votre jardin ont été expertisés, et aucun d'entre eux ne correspond à Cecily.

— Merci, sergent, lâcha Chandler, l'air soulagé. Je crois que je n'aurais pas supporté d'entendre qu'elle était enterrée dans mon jardin depuis toutes ces années.

— Cette femme, en revanche, y a bel et bien été enterrée, fis-je en dépliant le portrait de Marilyn Varick.

Chandler s'en empara et l'observa attentivement. Je retins mon souffle jusqu'à ce qu'il relève la tête :

— Elle fait partie des victimes ?

— Tout à fait. Vous la connaissez ?

— Je ne l'ai jamais vue. Désolé de savoir qu'elle est morte. Et désolé de ne pas pouvoir vous aider.

Je remis le portrait dans la poche intérieure de ma veste. Rien sur le visage de Chandler ne m'avait permis de déceler qu'il mentait.

— Il y a une autre question que j'aimerais vous poser, monsieur Chandler. Avez-vous une liaison avec Janet Worley ?

— Non. Nous avons eu une aventure il y a de ça une dizaine d'années. Je la trouvais charmante et nous avons un peu flirté, mais nous savions tous les deux que cette relation ne durerait qu'un temps. J'étais très amoureux de ma femme.

Cette définition de l'amour conjugal m'échappait quelque peu. Je songeai au mépris avec lequel Worley avait décrit l'attitude de Chandler envers les femmes, à la hargne contenue dans sa voix. Je me rappelais aussi que Janet avait semblé mal à l'aise. Elle avait profité de la première occasion pour quitter la pièce.

Tous ceux que nous avions interrogés avaient qualifié Nigel Worley d'homme brutal et dénué de toute subtilité. Mais s'il avais pris part à ces meurtres et à l'exhumation des crânes, il n'avait peut-être pas agi seul.

— Janet est quelqu'un de bien, poursuivit Chandler. J'ai beaucoup d'affection pour elle. Je ne suis pas amoureux d'elle, mais c'est une personne qui m'est chère. Jusqu'à ma rencontre avec Kaye je n'avais plus connu l'amour depuis la disparition de Cecily.

Il marqua un temps de pause, avant d'ajouter :

— Vous savez pourquoi j'habite encore à San Francisco alors que je pourrais vivre n'importe où dans le monde, sergent Boxer ? Parce que je me dis que Cece n'a peut-être pas été assassinée. Peut-être est-elle séquestrée quelque part. Ou bien peut-être a-t-elle simplement voulu s'éloigner de moi. Et dans ce cas, si jamais elle décide un jour de revenir, je veux être là.

— Janet Worley nous a caché des choses, me dit mon coéquipier tandis que nous regagnions le parking.

— C'est juste une idée comme ça, mais imaginons que Nigel Worley ait commis tous ces meurtres parce qu'il était furieux que sa femme l'ait trompé. Et imaginons que Janet l'ait assisté dans son forfait et que ce soit elle qui ait orchestré toute la mise en scène avec les fleurs et les nombres inscrits sur les cartes.

— D'accord, mais dans quel but ?

— Pour que les soupçons se portent sur Harry Chandler. Ils ont pu penser que s'il se retrouvait à nouveau accusé de meurtre, il ne s'en tirerait pas une seconde fois.

— Tout ça à cause d'une amourette vieille de dix ans ?

— Ils n'ont peut-être pas digéré l'offense. Leur haine envers Harry Chandler est peut-être l'unique ciment de leur couple.

44.

— Je l'ai ! fis-je à Conklin. (Il leva les yeux de son écran d'ordinateur.) Marilyn Varick. On trouve une douzaine de pages sur elle en tapant son nom sur Google. Elle était très connue il y a environ cinq ans.

Notre ancienne victime anonyme avait beaucoup fait parler d'elle sur les blogs de surf. Bon nombre d'articles étaient accompagnés de photos la montrant en combinaison avec sa planche. Plusieurs liens renvoyaient vers YouTube. Je cliquai sur l'un d'eux, une vidéo où on la voyait surfer d'énormes vagues à Pillar Point.

— Marilyn Varick était une championne de surf, fis-je en tournant l'écran pour mon coéquipier.

Rich, de son côté, avait lui aussi effectué des recherches.

— Elle a été arrêtée plusieurs fois pour possession de drogue, vagabondage et mendicité, toujours dans Pacific Heights. J'imagine que c'est le quartier où elle avait élu domicile.

— LaMetta Wynn nous a dit qu'elle dormait sur des pas de porte et qu'elle lui donnait parfois un peu d'argent. Peut-être que d'autres personnes lui faisaient l'aumône. En tout cas, notre portrait ne ressemble pas trop à ces photos d'elle plus jeune. C'est un peu comme comparer une prune et un pruneau.

J'effectuai une recherche sur Facebook, où je découvris de nouveaux clichés d'une jeune femme défiant avec grâce les rouleaux d'Ocean Beach. Sa page n'avait pas été mise à jour depuis deux ans.

— Il a dû lui arriver quelque chose de grave pour qu'elle se marginalise comme ça d'un seul coup.

— D'après Wynn, il est impossible que Harry Chandler connaisse Marilyn Varick, ce que l'intéressé nous a d'ailleurs confirmé. Mais n'oublions pas le témoignage de Nigel Worley, qui prétend que Chandler est du genre à draguer tout ce qui bouge – et pourquoi pas une belle surfeuse...

— Pourquoi pas, en effet. Chandler la rencontre et la fréquente un moment avant de lui briser le cœur. Marilyn tombe alors dans une dépression qui lui fait perdre pied et se met à vivre dans la rue, tout près de la propriété d'Ellsworth.

— Elle n'est pas recensée dans le fichier des personnes disparues, observa Richie. Ses parents habitent à San Rafael.

— Quelqu'un va devoir se charger de les prévenir.

— Je crois que c'est mon tour, fit Rich.

— Laisse, je m'en charge. J'y tiens.

45.

J'étais assise au bord de la piscine intérieure d'une splendide maison contemporaine de San Rafael, à douze kilomètres au nord de San Francisco. Perçant les immenses baies vitrées, le soleil matinal dessinait des motifs ondulants à la surface de l'eau. Dans un coin, un épagneul springer anglais dormait sur son coussin ; ses pattes s'agitaient dans son sommeil par petits à-coups.

Richard et Virginia Varick étaient un couple d'une soixantaine d'années, tous deux vêtus presque à l'identique d'un ensemble chandail et short de tennis. Mme Varick ne tenait pas en place. Son mari, lui, était calé dans un fauteuil en rotin et me dévisageait d'un air suspicieux.

Ils devaient savoir pourquoi j'étais là.

Lorsque j'avais vu la tête de Marilyn Varick pour la première fois, je m'étais dit que lorsque nous connaîtrions son identité, les pièces du puzzle se mettraient automatiquement en place. Nous allions découvrir le pourquoi du comment de ces crimes et remonter ensuite jusqu'à l'assassin.

À présent, face au couple Varick, je ne pensais plus qu'à la manière dont j'allais leur annoncer la terrible nouvelle, mettant ainsi fin à leurs dernières secondes de bonheur.

— Quand avez-vous vu votre fille pour la dernière fois ?

— Marilyn a des problèmes ? me demanda Virginia Varick.

— Je ne sais pas trop, madame Varick. Pourriez-vous regarder ce portrait, s'il vous plaît ?

J'avais imprimé un nouvel exemplaire du portrait réalisé à partir de la tête partiellement décomposée retrouvée dans le jardin de la propriété d'Ellsworth.

— Qui est cette personne ? fit-elle après l'avoir observé un instant.

— Ressemble-t-elle à votre fille ?

— Ni de près, ni de loin. Pourquoi cette question ? De qui s'agit-il ? Je pensais que vous aviez des nouvelles concernant Marilyn. Ce n'est pas le cas ? Dick ? Je ne comprends pas...

Elle tendit le portrait à son mari, qui l'observa à son tour avant de le retourner et de le poser sur la table.

— Madame Varick, ce portrait est celui d'une femme non identifiée dont les restes ont été récemment découverts à San Francisco. Je suis navrée d'avoir à vous annoncer ça...

— Ne le soyez pas, répondit madame Varick d'une voix qui commençait à monter dans les aigus. Ce n'est pas ma fille. Attendez-moi ici un instant. Je vais vous montrer une photo de Marilyn.

Virginia Varick quitta la pièce et je me tournai vers son mari :

— Quand avez-vous vu Marilyn pour la dernière fois, monsieur Varick ?

— Ça fait deux ans que nous ne l'avons pas revue.

— Que s'est-il passé ?

— Elle ne voulait plus avoir de contact avec nous, m'expliqua Dick Varick. (Son visage avait pris une teinte grise.) Je crois qu'elle était tombée dans la drogue. Elle nous téléphonait de temps en temps, jamais plus d'une quinzaine de minutes, et c'était surtout ma femme et moi qui parlions.

» Elle disait qu'elle allait bien et nous demandait de ne pas chercher à la retrouver. Ça ne nous empêchait pas d'essayer, mais sans succès. Aucun de ses anciens amis ne la revoyait, et personne ne savait où elle vivait.

— Est-il arrivé quelque chose à la période où elle a coupé les liens ? A-t-elle vécu un traumatisme quelconque ?

— Pas à ma connaissance.

— Je vais avoir besoin d'un objet lui ayant appartenu et susceptible de contenir son ADN. Un peigne, une brosse à dents, un vêtement.

— Nous n'avons rien de tout ça. Elle n'a jamais vécu dans cette maison.

Virginia Varick revint dans la pièce munie d'un énorme album photo relié de cuir bleu. Elle s'assit sur un repose-pied près de moi et ouvrit l'album.

Je reconnus certaines photos, mais d'autres m'étaient totalement inconnues : Marilyn y apparaissait avec sa famille, son chien, ses amis, ce qui m'amena à me demander pourquoi personne ne l'avait identifiée lorsque le *Chronicle* avait diffusé son portrait.

Marilyn avait-elle donc tant changé ?

Le portrait était-il si peu ressemblant ?

Ou bien l'assistante de Harry Chandler s'était-elle trompée en croyant la reconnaître ?

En examinant les photos que Virginia Varick me montrait, j'étais pour ma part convaincue que le portrait était bel et bien celui de sa fille. Simplement, pour elle, cette vérité se révélait trop pénible pour être regardée en face.

— C'était une jeune femme magnifique, fis-je.

— Ne parlez pas d'elle au passé ! s'écria la mère d'une voix rageuse, le visage déformé par un masque de souffrance. Je vous l'ai déjà dit, cette personne n'est pas ma fille !

46.

Dick Varick tendit le bras vers sa femme, mais celle-ci eut un mouvement de recul.

— Ça fait un moment que tu n'as pas revu Marilyn, Virginia. Écoute, je lui ai donné de l'argent il y a environ huit mois. Elle ne voulait pas que je t'en parle.

— Tu l'as vue ? Et tu ne m'as rien dit !

— Elle était dans un sale état, tu sais. Complètement défoncée, elle racontait n'importe quoi. J'ai essayé de la convaincre de rentrer à la maison, mais elle ne voulait rien entendre. Elle répétait que tout ce dont elle avait besoin, c'était un peu d'argent, alors je lui ai donné mille dollars. Elle a appelé deux fois après ça, donc je sais qu'elle allait à peu près bien.

Virginia Varick se couvrit la bouche avec ses deux mains et quitta la pièce en courant.

Son mari se leva, fourra ses mains dans les poches de son pantalon et s'approcha de la baie vitrée. Il contempla pensivement les érables japonais qui projetaient leur ombre sur la pelouse puis se tourna vers moi :

— Désolé de vous avoir menti, sergent. Je ne voulais pas que ma femme sache que j'avais revu Marilyn. Mais, vu les circonstances, je n'avais plus le choix.

— Ce portrait est donc bien le sien ?

— Oui. Comment est-elle morte ?

— Pour le moment, nous l'ignorons.

— Dites-moi tout ce que vous savez.

— Venez vous asseoir, monsieur Varick.

Dick réintégra son fauteuil et se cala contre le dossier, les mains sur les genoux, son regard plongé dans le mien.

Je redoutais cet instant depuis que j'avais franchi le pas de la porte. Comment annoncer à des parents que leur fille a été décapitée et que vous ignorez la façon dont elle a été tuée, l'identité de son assassin et même l'endroit où se trouve son cadavre ?

— Des restes humains ont été déterrés dans le jardin de la propriété d'Ellsworth.

À l'évocation de ce nom, Dick Varick manifesta aussitôt une certaine agitation. Il m'interrompit pour me dire qu'il avait lu cette histoire dans la presse et me demanda si Marilyn faisait partie des victimes.

Je lui appris le peu que je savais.

— Marilyn vous avait-elle déjà parlé de Harry Chandler ?

— Non... Ne me dites pas que cet enfoiré est lié à tout ça !

— Je vous pose cette question parce que les crânes ont été retrouvés dans une propriété lui appartenant, rien de plus. Marilyn vous avait-elle déjà dit, ou donné l'impression, qu'elle se sentait menacée ?

— Non. Elle m'avait expliqué qu'elle vivait avec des amis. Vous savez, sergent, la dernière fois que je l'ai vue, j'ai eu le sentiment de parler à une étrangère. La jeune femme que j'avais connue et aimée avait comme... disparu. Elle n'était plus qu'une toxicomane. Elle m'a juste réclamé de l'argent pour s'acheter de la drogue et ne m'a même pas demandé comment allait sa mère.

— Je suis désolée, monsieur Varick... Il me faudrait les noms des amis avec lesquels vous vous êtes entretenu lorsque vous l'avez recherchée.

— Elle avait trente-trois ans, fit Varick tout en pianotant sur son iPhone. (Je lui épelai mon adresse e-mail afin qu'il m'envoie la liste.) Ce n'était plus une ado. Je ne pouvais pas appeler la police et leur demander de la ramener à la maison.

— Je comprends.

— Souhaitez-vous que je vienne l'identifier ?

— Il faudrait que vous contactiez le service médico-légal.

J'inscrivis le numéro de téléphone au dos de ma carte de visite, puis Dick Varick me raccompagna jusqu'à la porte.

Il semblait avoir vieilli de plusieurs années en l'espace d'une demi-heure. Comme tout père dont l'enfant a connu une mort aussi tragique, il était bouleversé, désespéré.

Je regagnai ma voiture et m'efforçai de contenir mes propres émotions – mais en vain. Je m'arrêtai après avoir parcouru une centaine de mètres, me rangeai le long du trottoir et, la tête appuyée contre le volant, j'éclatai en sanglots.

47.

Il y avait deux journaux devant ma porte le lendemain matin : le *Chronicle*, avec ses gros titres sur le G8 et le budget de San Francisco, et le *Post*, avec sa une dont le titre était imprimé en épaisses lettres noires :

613 VICTIMES DANS LA MAISON AUX CRÂNES !

Un article signé Jason Blayney, bien entendu.

Je parcourus les premiers paragraphes, malgré la bile qui me remontait dans la gorge.

> Le *Post* a appris que les crânes déterrés dans le jardin de la résidence Ellsworth étaient accompagnés d'une carte sur laquelle était inscrit à la main le nombre 613.

Dès 6 heures du matin, les techniciens du SFPD étaient à pied d'œuvre sur la scène de crime, et si le nombre 613 indique bien le nombre total de victimes, les crânes déterrés pour le moment ne sont que les premiers d'une longue série de ce qui pourrait bien s'avérer l'œuvre du pire tueur en série de toute l'histoire.

Quel lamentable ramassis de conneries !

Le sergent Lindsay Boxer, qui dirige cette enquête, n'a répondu à aucun de nos appels...

J'appelai aussitôt Brady et laissai un message sur son répondeur. Évidemment, il me rappela pendant que j'étais sous la douche. Il me laissa un message à son tour pour m'informer qu'il s'apprêtait à assister à une réunion et qu'il me verrait lors de la conférence de presse.

— City Hall, salle 200, concluait-il. Ne sois pas en retard.

J'enfilai une tenue légèrement plus classe que mon salaire ne le permettait, cirai mes chaussures et allai même jusqu'à mettre un peu de rouge à lèvres. Je dis au revoir à Martha et, après m'être installée au volant de ma voiture, j'appelai Cindy pour lui demander de me retrouver devant le City Hall.

Je roulai jusqu'à Van Ness Avenue, me garai dans le parking souterrain de McAllister Street puis traversai à pied la Civic Center Plaza. J'avais conscience de prendre un risque, mais je devais à tout prix faire la paix avec Cindy.

Je l'aperçus de loin, debout sous un tilleul, en train de pianoter sur son BlackBerry. Je lui fis signe ; elle rangea son téléphone et se dirigea vers moi, ses yeux bleus accrochant mon regard pour tenter d'y trouver un indice.

Nous échangeâmes une étreinte puis traversâmes le parc en direction de l'imposant bâtiment de style Beaux-Arts où siégeait le maire et où étaient gérées la plupart des affaires municipales.

— Voici le deal, fis-je à Cindy. Tu peux me citer en tant que source anonyme. Au total, sept crânes ont été exhumés à Ellsworth. Tous appartiennent à des femmes et ont été enterrés à différents moments sur une période d'une dizaine d'années. En ce qui concerne les nombres inscrits sur les cartes...

— 104 et 613. Je peux en parler ?

— Oui, tu as mon feu vert.

— Et pour l'identité de la victime anonyme dont nous avons diffusé le portrait ?

— Elle s'appelle Marilyn Varick. Trente-trois ans, sans emploi, ancienne championne de surf. Ça te va ?

— Parfait. Merci, Linds.

Nous gravîmes les marches menant à l'entrée du City Hall. Je pressai le bras de Cindy avant de m'engager dans la rotonde.

L'ouverture de la conférence de presse était imminente.

48.

La salle 200 est aménagée comme une salle d'audience, avec une estrade et des sièges en bois, ainsi qu'une balustrade derrière laquelle le public prend place. Les murs sont peints en beige, et, grâce aux écrans géants, même les personnes assises au fond de la salle peuvent voir si vous transpirez.

Depuis l'estrade, j'observai la tribune où les journalistes s'entassaient progressivement. Cindy prit place au troisième rang et sortit aussitôt son ordinateur portable.

Lorsque les portes du fond se fermèrent, le maire s'avança vers le micro, salua l'assemblée et exposa une affaire concernant un officier de police impliqué dans une fusillade survenue la veille au soir dans le quartier de Mission.

Il diffusa l'enregistrement d'un appel reçu au 911, puis une vidéo tournée à l'aide d'une caméra embarquée dans une voiture de patrouille. On y voyait un homme se précipiter vers les flics, armé d'un sabre, et refusant de reculer jusqu'à ce qu'un policier finisse par l'abattre.

Il y eut un bref moment de silence dans la salle, puis plusieurs mains se levèrent. Le maire répondit aux questions relatives à cette affaire, puis à d'autres questions d'ordre plus général concernant le SFPD, le taux de criminalité et le pourcentage particulièrement élevé de crimes non élucidés.

Lorsqu'il en eut assez, il céda la place au lieutenant Jackson Brady et retourna s'asseoir.

Muni de son antisèche, Brady s'avança sur l'estrade et, tenant la feuille devant lui d'une main crispée, déclara :

— Trois dealers connus des services de police ont été abattus hier soir dans Schwerin Street, leur véhicule a été incendié. Les hommes étaient déjà morts lorsque le feu a pris, et les flammes ont détruit la quasi-totalité des preuves matérielles.

Brady poursuivit en énumérant les noms des trois victimes. Il ajouta que la police était à la recherche du tueur et que les premières analyses balistiques menées à partir des balles retrouvées sur les lieux avaient permis d'établir un lien avec l'arme ayant servi à tuer Chaz Smith.

— Nous n'avons toujours aucune idée de l'identité du tueur, mais une chose est sûre : il s'en prend toujours à des trafiquants de drogue. L'enquête suit son cours, et sachez que cette affaire représente pour nous une priorité. C'est tout ce que je peux vous dire pour le moment.

De nouveau, les mains se levèrent comme autant de plants de haricots filmés en accéléré, mais Brady les ignora et annonça :

— Le sergent Lindsay Boxer va maintenant évoquer l'enquête concernant les crânes retrouvés dans la résidence Ellsworth. C'est à vous, sergent.

À ces mots, il se rassit, ne me laissant d'autre choix que de venir le remplacer sur l'estrade.

49.

Je suis capable de faire un discours lorsqu'il le faut, mais j'avoue que je préférerais être plongée dans une marmite d'eau bouillante plutôt que d'avoir à affronter les médias dans ce genre de circonstances. Une soixantaine de paires d'yeux me dévisagèrent tandis que j'ajustais le micro.

— Bonjour à tous. Lundi matin, deux crânes ont été découverts à l'arrière du bâtiment principal de la propriété d'Ellsworth. Ces crânes étaient enterrés dans le jardin et ont été exhumés par une ou plusieurs personnes dont nous ignorons l'identité. Il est possible qu'elles aient pénétré dans l'enceinte du jardin en forçant la serrure du portail. Ces crânes étaient accompagnés de deux cartes comportant des nombres inscrits à la main : 104 et 613.

— Ça correspond au nombre de têtes enterrées, non ? cria quelqu'un.

— Non. Nous n'avons aucune raison de croire qu'il reste des centaines de crânes à déterrer. Les techniciens en ont exhumé sept au total. Tous appartenaient à des femmes. Aucune n'a été identifiée pour le moment, mais nous sommes en train de procéder à des expertises dont les résultats devraient être connus dans le courant de la semaine.

— *Quid* de l'identité de la victime dont le portrait a été diffusé dans le *Chronicle* ?

— Nous attendons d'avoir une identification formelle avant de divulguer son nom, ce qui devrait avoir lieu rapidement.

— Harry Chandler fait-il partie de la liste des suspects ?

— M. Chandler coopère pleinement avec la police, et aucune charge n'a été retenue contre lui.

J'avais l'impression d'avoir pris place dans une cage de frappeur face à un lanceur de balles automatique programmé pour me détruire. Je sentais des gouttes de sueur perler sur mon front, et ma gorge se serrer sous le feu nourri des questions.

— Les crânes étaient pourtant enterrés dans son jardin !

— Où se trouvent les corps ?

— Est-il vrai que vous avez des témoins ?

— Qu'est-il arrivé aux cadavres ?

— Comment les victimes ont-elles été tuées ?

J'esquivai encore un certain nombre de projectiles, puis Brady vint à ma rescousse :

— Merci. Ce sera tout pour aujourd'hui, déclara-t-il en agitant les mains.

Je sortis de la salle par la porte de derrière puis longeai le couloir et descendis l'escalier pour déboucher sous la rotonde.

J'étais heureuse de me retrouver sous le soleil, et plus je m'éloignais de la salle 200, plus je me sentais soulagée. J'étais presque arrivée au parking lorsque je reçus un texto sur mon téléphone – il provenait de Cindy.

Tu t'en es bien sortie ! :-)

Je souris et rangeai mon téléphone dans la poche de ma veste. C'est alors que j'entendis une voix d'homme m'appeler derrière moi.

Évidemment, Jason Blayney m'avait suivie. J'aurais dû le parier, songeai-je. Je me serais fait un paquet de blé !

— Pas de commentaire, lançai-je sèchement. J'ai eu ma dose pour la journée.

— S'il vous plaît, acceptez de déjeuner avec moi.

50.

J'aurais volontiers remis Blayney à sa place, aussi bien en off que devant un parterre de journalistes, mais je voulais également savoir pourquoi il me harcelait de la sorte.

Me voyant hésiter, il en profita pour me tendre un piège :

— Que diriez-vous du St. Francis Fountain ? Ils font des petits déjeuners dont vous me direz des nouvelles.

Situé à l'angle de la 24e et de York Street, dans un bâtiment centenaire, le St. Francis était une véritable institution.

— O.K., O.K. Allons-y !

Je le suivis jusqu'au St. Francis, garai ma voiture à un emplacement que je pourrais surveiller par la fenêtre et entrai dans le restaurant.

Un comptoir était installé d'un côté de la salle, l'autre mur accueillant une rangée de banquettes en bois qui formait une série de box. Blayney me fit signe depuis une table près de la baie vitrée et je m'installai face à lui.

La serveuse nous apporta les menus : burgers, sandwichs divers et variés, milkshakes et sodas.

Je commandai un déca accompagné de toasts. Blayney opta pour un petit déjeuner de bûcheron : pancakes, *chorizo hash*, pommes de terre sautées et café noir.

Tandis que nous attendions nos plats, Blayney me parla de lui en long, en large et en travers : ses études, son passage au *Times*, son arrivée au *Post* et sa détermination à devenir le journaliste de référence dans le domaine des affaires criminelles.

Nous fûmes bientôt servis, et il continua à parler en mangeant jusqu'à ce que son assiette soit vide.

Il posa alors ses couverts et m'expliqua qu'il avait à cœur d'apporter son aide à la police. Il avait également à cœur d'informer le public, qui, selon lui, avait le droit de savoir comment travaillaient les enquêteurs.

— Il est de mon devoir de leur dire la vérité, lâcha-t-il avec le plus grand sérieux.

— Dans ce cas, pourquoi avoir écrit que six cent treize personnes avaient été enterrées à Ellsworth ?

— O.K., j'avoue que c'est mon rédac chef qui est à l'origine de cette idée. Ça faisait deux jours qu'il n'avait pas eu de scoop et il a décidé de faire monter la mayonnaise. Vous n'avez rien à m'apprendre concernant ce fameux 613 ?

— C'est le genre d'informations qu'on s'abstient généralement de divulguer. Sachez que, sans votre article, je n'en aurais jamais parlé en conférence de presse. Quand des cinglés nous appellent pour avouer des crimes qu'ils n'ont pas commis, ce sont ces détails qui nous permettent de savoir s'ils mentent ou non. Vous saisissez ? Avec votre papier, vous n'avez fait que nous compliquer un peu plus la tâche.

— Dans ce cas, j'en suis désolé. Sincèrement. Je devais à tout prix publier quelque chose. Tenez, vous n'avez qu'à me donner un scoop. Je pourrais faire de vous l'héroïne de mes prochains articles.

— Je ne cherche pas la gloire, Blayney. Je n'ai pas envie d'être un héros. Mon coéquipier et moi, et le SFPD d'une manière générale, nous faisons de notre mieux pour tenter de résoudre les enquêtes. Croyez-moi, nous travaillons aussi dur qu'il est humainement possible de le faire. Tenez, vous n'avez qu'à écrire ça !

Je sortis un billet de cinq de ma poche, le posai sur la table et quittai le restaurant en songeant qu'accepter cette invitation avait été une grossière erreur. Au lieu de l'amener à un peu plus de modération dans son travail, je n'avais probablement réussi qu'à attiser la fougue de Blayney.

J'imaginais déjà le titre racoleur de son prochain papier : « Le sergent Boxer fait ce qu'elle peut. » En dessous, une photo me montrerait de dos en train de quitter le restaurant...

51.

Le temps que je regagne mon bureau, Cindy avait publié son compte rendu de la conférence de presse en première page du site Web du *Chronicle.*

ELLSWORTH : UNE PREMIÈRE VICTIME IDENTIFIÉE
L'ENQUÊTE DU SFPD SE POURSUIT

Le premier paragraphe concernait Marilyn Varick, son parcours et ses heures de gloire. Le deuxième paragraphe décrivait sa récente descente aux enfers. Il était accompagné d'une photo de Marilyn sortant de l'eau avec sa planche sous le bras.

> Même si Marilyn Varick a été identifiée, les six autres victimes restent pour l'heure anonymes. Le sergent Lindsay Boxer, de la brigade criminelle, a reconnu ce matin que le SFPD n'avait toujours aucun suspect et que le mystère de la maison aux crânes était encore loin d'être résolu.

J'achevai la lecture de cet article irritant au possible en me demandant si je n'étais pas en train de devenir parano.

— J'ai le sentiment d'être victime d'un lynchage médiatique, fis-je à Conklin. Franchement, tu trouves que je ressemble à une piñata ?

— Maintenant que tu le dis… C'est peut-être ta frange ! Pourquoi cette question ?

Il partit d'un grand éclat de rire et je ripostai en lui tirant la langue.

— Alors je vais faire en sorte d'être la meilleure piñata possible.

À cet instant, la porte de Brady s'ouvrit. Il resta planté quelques secondes, les yeux rivés sur nous, puis nous demanda de le rejoindre.

Il avait l'air de quelqu'un qui s'est endormi la tête sur son bureau – le teint livide et des valises sous les yeux. Je ne savais pas ce qui le tracassait, mais cela ne semblait guère réjouissant.

— Je viens d'être informé que la femme de Chaz Smith allait s'exprimer publiquement. Et en *prime time,* s'il vous plaît ! Son interview avec Katie Couric sera diffusée ce soir.

Je pris place sur la seule chaise disponible et Conklin s'appuya contre un meuble :

— Dis-nous tout.

— Mme Smith explique que son mari était un agent d'infiltration et que le SFPD a merdé. La brigade des stups va assumer ses responsabilités, mais son assassinat sera mis en lien avec le triple meurtre de Schwerin Street et la criminelle va en prendre pour son matricule.

Mon regard se posa sur les piles de dossiers personnels qui encombraient le bureau. Brady le remarqua et ajouta :

— J'ai demandé un récapitulatif de toutes les personnes qui ont été suspendues, renvoyées, ou qui ont déjà pété les plombs suite à un événement isolé ou à cause d'un *burn out.* J'ai parcouru l'intégralité des dossiers.

Il s'effondra sur sa chaise, poussa un long soupir et nous observa fixement.

— J'aurais préféré ne pas avoir à vous dire ça, mais la personne qui figure en haut de ma liste est ton ancien coéquipier, Boxer. Le tien aussi, Conklin. Warren Jacobi.

En entendant ça, je faillis moi aussi péter les plombs.

Des points lumineux se mirent à danser devant mes yeux et je crus un instant que j'allais m'évanouir.

Jacobi était en congé maladie depuis maintenant plusieurs mois. Certes, il n'avait rien d'un enfant de chœur, mais il n'était pas du genre à dispenser la justice dans son coin.

— C'est impossible, réussis-je finalement à articuler. Avec tout le respect que je te dois, je peux t'affirmer que, si tu connaissais Jacobi, jamais tu n'aurais eu l'idée de le mettre sur ta liste.

52.

Ma relation avec Jacobi remontait à une dizaine d'années. Il avait longtemps été mon coéquipier et, à l'époque, nous passions le plus clair de notre temps ensemble – en moyenne quatorze heures par jour, assis côte à côte dans notre voiture, ou face à face derrière nos bureaux.

Je riais à ses plaisanteries graveleuses et lui me trouvait géniale – forcément, puisque j'étais fan de son humour ! Ensemble, nous avions enquêté avec succès sur des affaires horribles, et étions devenus avec le temps des amis très proches. À tel point que nous agissions parfois comme si nous étions commandés par un seul et même cerveau.

Puis un événement tragique avait tissé entre nous un lien inextricable, presque un lien de sang.

Nous surveillions une Mercedes garée dans un quartier mal famé, et lorsqu'elle avait démarré dans un crissement de pneus assourdissant, nous l'avions pourchassée, une course-poursuite qui avait pris fin lorsque la berline s'était plantée au fond d'une ruelle sombre et déserte.

Deux jeunes se trouvaient à son bord, tous deux raides défoncés à la métamphétamine. La plus âgée était une adolescente de quinze ans aux cheveux courts. Je me souviens qu'elle portait un pull rose et que des paillettes brillaient sur ses joues. Son frère, de deux ans son cadet, avait été blessé dans l'accident.

Les deux avaient le visage couvert de sang et pleuraient à chaudes larmes, terrifiés à l'idée que leur père apprenne qu'ils avaient conduit sa voiture. Jacobi et moi avions tenté de les calmer, appelé une ambulance et rangé nos armes.

Un manque de jugement qui avait peut-être été la plus grosse erreur de notre vie.

En se penchant vers la boîte à gants pour prendre son permis de conduire, la fille en avait profité pour s'emparer d'un pistolet. Elle avait tiré cinq balles, m'atteignant à deux reprises, et son frère avait touché Jacobi trois fois avant que je ne parvienne à les neutraliser. Nous étions ensuite restés allongés dans cette ruelle déserte, mon coéquipier et moi, en proie à une hémorragie qui aurait pu s'avérer fatale si l'ambulance n'était arrivée à temps.

Jacobi ne s'était jamais complètement remis de ses blessures. Depuis, il ne pouvait plus courir, avait pris du poids et souffrait de douleurs chroniques.

Il y avait de ça une dizaine de mois, il avait été promu au rang de chef de la police. Mais terrassé par des crises de plus en plus fréquentes, il avait récemment décidé de se faire opérer de la hanche.

— Jacobi est en congé maladie depuis maintenant trois mois, fit Brady. Il ne travaillait pas lorsque les trois premiers assassinats ont été commis. Idem pour Chaz Smith et la tuerie de Schwerin Street.

Je commençai à protester, mais Brady haussa la voix :

— Laisse-moi terminer, Boxer. Plusieurs éléments m'ont mis la puce à l'oreille. Pour commencer, Jacobi peut utiliser sa radio à tout moment pour obtenir des informations, mais aussi pour créer une diversion. Ensuite, tu sais comme moi qu'il a de nombreux contacts dans la rue. Il a également pu se rendre dans la salle des preuves quand il le voulait – n'oublie pas qu'il est maintenant chef de la police. Et, pour finir, il pouvait facilement agir incognito : qui irait soupçonner un type de cinquante-cinq ans qui marche en boitant ?

— Jacobi n'est pas un assassin.

— Peut-être que tu te trompes.

— Je le considère presque comme un membre de ma famille.

— Moi non plus, je n'y crois pas un seul instant, intervint Conklin. Jacobi est un bon flic. Jamais il ne ferait une chose pareille.

Brady balaya nos remarques d'un geste de la main :

— Je vais avoir besoin de votre étroite collaboration. On ne va rien dire à Jacobi ni à qui que ce soit. On va se contenter de le surveiller.

Mon esprit se mit à vagabonder.

Je n'avais pas parlé à Jacobi depuis plusieurs semaines. J'étais allé lui rendre visite à l'hôpital après son opération ; je lui avais apporté un gros bouquet de fleurs. Mais depuis, je ne l'avais appelé que deux ou trois fois. Un sentiment de honte m'envahit à cette pensée et je me demandai comment il allait.

Traversait-il des moments de déprime ?

Des phases de colère ?

Le fait de s'être fait tirer dessus par un jeune sous l'influence de la drogue pouvait-il constituer un motif suffisant pour se lancer dans une violente croisade antidealers ?

Pour Brady, la réponse semblait être oui.

— Tu m'écoutes, Boxer ?

— Excuse-moi, j'étais perdue dans mes pensées. Tu disais ?

— Je disais que vous étiez les deux personnes les plus aptes à le faire parler. Je vous dirai à quel moment agir. C'est tout pour l'instant.

53.

Juste après 18 heures, le Vengeur, installé au comptoir du Peet's, attendait son café à emporter pour pouvoir regagner sa voiture et rentrer chez lui.

Un client avait oublié son exemplaire du *Post* et il parcourut l'article en première page. Il y était question du triple meurtre de Schwerin Street. Malgré le texte enflammé sur la mort de ces trois ordures, il apparaissait clairement que la police ne disposait d'aucun élément qui leur aurait permis d'identifier le tueur – hormis le flingue qu'il avait balancé dans la voiture, ce même flingue qui lui avait servi à buter Chaz Smith.

Mais l'arme ne comportant aucune empreinte digitale, rien ne permettait de la relier à lui.

Le flic en charge de l'affaire était Lindsay Boxer. Il l'avait rencontrée à plusieurs reprises au cours de sa carrière. C'était une enquêtrice engagée et pragmatique, peut-être même douée d'un certain talent. Mais toutes ces qualités ne l'avançaient pas à grand-chose en l'absence d'indices.

Martina, la serveuse, prit le billet que lui tendait un vieil homme boiteux :

— Merci. À bientôt.

Elle referma son tiroir-caisse, déposa les pièces de monnaie dans une coupelle et laissa échapper un profond soupir.

Le Vengeur savait que Martina était déprimée à cause de son divorce. Même si elle en parlait avec humour, le qualifiant de « méthode miracle pour perdre quatre-vingts kilos », il était clair que la situation la faisait souffrir.

Tâchant de faire bonne figure, elle se tourna vers le Vengeur et, évoquant l'article du *Post*, lança :

— Sacrée histoire, hein ?

Elle versa du café dans un gobelet en carton et prit soin de s'arrêter quelques centimètres avant le bord pour qu'il puisse rajouter du lait – elle connaissait ses habitudes.

— Un justicier solitaire qui bute des dealers. Les journaux l'ont surnommé le Vengeur, vous en avez entendu parler ?

— Oui. Enfin, je viens de lire l'article. Je ne m'intéresse pas trop à l'actualité.

— Vous regardez quand même la télé, j'imagine ? L'une de ses victimes était un flic en civil infiltré dans le milieu de la drogue. Sa femme va être interviewée ce soir par Katie Couric.

— Ah oui ? Alors je regarderai peut-être.

Il adressa un sourire à la serveuse, versa un peu de lait dans son gobelet et referma le couvercle.

— À bientôt, Marina, fit-il en déposant quatre billets d'un dollar sur le comptoir. Prenez soin de vous.

Il quitta le café pour se retrouver dans le centre commercial. Une fois installé au volant de sa voiture, il téléphona à sa femme, lui annonça qu'il serait de retour dans une demi-heure et lui demanda s'il devait aller faire des courses.

— Merci, chéri, ce ne sera pas la peine.

Le Vengeur raccrocha et démarra le moteur. Au même instant, il aperçut quelque chose qui l'interpella. Ou plutôt quelqu'un. Raoul Fernandez, une saloperie de dealer qui avait débuté sa carrière en revendant de la drogue à des jeunes de son quartier et qui prenait peu à peu du galon. À présent semi-grossiste, il employait des gamins pour écouler sa « marchandise ».

À l'époque où le Vengeur bossait à la DEA, il avait cherché à établir des preuves de son activité, mais Fernandez savait se montrer prudent et discret. Après avoir passé deux ans en prison pour trafic, il avait été relâché.

Une libération qui n'aurait jamais dû avoir lieu. Le Vengeur observa Fernandez verrouiller à distance les portières de son coupé Mercedes et traverser le parking en direction du supermarché.

Le centre commercial était très fréquenté à cette heure de la journée. Le Vengeur venait de discuter avec Martina et avait été vu par de nombreux clients. Il savait qu'il avait intérêt à ne rien tenter contre Fernandez. Il valait mieux qu'il rentre chez lui retrouver sa famille.

Et puis merde ! L'occasion était trop belle et risquait de ne jamais se reproduire.

Le Vengeur sortit son arme de sa boîte à gants, quitta sa voiture et passa devant le coupé Mercedes. Il suivit le dealer à une distance d'une douzaine de mètres en tenant son pistolet serré contre sa cuisse.

Fernandez avait dû entendre un bruit, ou peut-être était-il simplement doté d'un sixième sens. L'homme se retourna pour faire face au Vengeur ; il tenait lui aussi un pistolet.

Le Vengeur sentit son cœur s'emballer.

C'était une erreur, lui souffla une petite voix dans sa tête. *C'est maintenant que tout s'arrête. Après tout, c'est peut-être ce que tu voulais.*

54.

Dans le jardin d'Ellsworth, en compagnie de Charlie Clapper, Conklin et moi observions le ballet des techniciens de scène de crime qui remballaient leur matériel. Constellé de trous, parsemé de monticules de terre, le jardin donnait l'impression d'avoir été ravagé par un millier de marmottes sous cocaïne.

Pourtant, malgré cet important travail de fouille, aucun autre crâne et aucun morceau de corps n'avait été retrouvé. Le dossier ne s'était par conséquent enrichi d'aucun indice.

J'étais de nouveau frappée du caractère pour le moins insolite de cette enquête.

Dans quatre-vingt-dix-neuf pour cent des affaires criminelles, les investigations se focalisent autour d'un cadavre et d'un lieu où le crime a été commis.

Les enquêteurs disposent en général de multiples preuves matérielles : vêtements, traces de sang, empreintes digitales, des éléments tangibles qui leur permettent de découvrir qui était la victime, d'établir les causes et, parfois, la date de sa mort. Il est même possible de comparer une photographie de la victime avec la base de données du DMV, et la plupart du temps, cette recherche s'avère payante.

Ou bien il arrive que l'enquête ait pour point de départ une personne disparue. On se base alors sur un dossier dentaire, une empreinte génétique, une liste d'amis ou de collègues de travail, des numéros de téléphone, le jour et l'heure auxquels la personne a été vue pour la dernière fois.

Dans le cas présent, nous n'avions que des trous et des tas de terre, des crânes non identifiés et une liste de suspects qui ne nous avançait pas à grand-chose.

Nous n'étions même pas certains que les sept victimes aient été assassinées. Peut-être étaient-elles mortes de causes naturelles ; leurs têtes avaient alors pu être transportées jusqu'à Ellsworth pour y être inhumées.

La seule chose que nous pouvions affirmer, c'était que la personne qui les avait enterrées avait eu accès au jardin pendant une période d'au moins dix ans.

Nous attendions à présent le rapport définitif de l'anthropologue légiste. Elle devait encore procéder à différentes mesures avant de rentrer toutes ces données dans un logiciel capable de recréer un visage à partir d'un simple crâne. D'ici là, nous ne pouvions qu'espérer un coup de chance – ou des aveux.

Clapper ouvrit la fermeture Éclair de sa combinaison, ôta ses gants et poussa un profond soupir :

— Nous avons exploré chaque centimètre carré de ce jardin. Les objets que nous avons déterrés étaient tous inexploitables. Aucune empreinte digitale, aucune trace d'ADN.

— Si nous parvenons à identifier les victimes, ces objets permettront peut-être à leurs familles de nous apporter un éclairage nouveau, observai-je.

— Bon, je dois filer, lança Clapper. Ma femme m'attend. C'est la première fois cette semaine que j'ai le temps de dîner avec elle.

Envahie par le découragement et une intense frustration, j'étais sur le point de proposer à Conklin une petite séance de tir, histoire de me défouler sur des cibles en papier, lorsque le numéro de Brady s'afficha sur l'écran de mon téléphone portable.

— Salut, Boxer ! Il y a eu une fusillade au Potrero Center. Ça ressemble à un coup de cet enfoiré de vengeur solitaire ! Conklin est avec toi ? Parfait. Rendez-vous là-bas le plus tôt possible.

55.

Situé à l'angle de la 16e et de Bryant, le Potrero Center était un centre commercial récent qui accueillait toutes sortes de boutiques grand public : Office Depot, Safeway, Jamba Juice et bien d'autres. Un mur en pierre surmonté d'une barrière métallique délimitait le vaste parking qui ne désemplissait presque jamais.

Le soleil commençait à décliner lorsque nous arrivâmes sur les lieux. Nous nous présentâmes aux flics en uniforme postés à l'entrée. Je demandai le nom du policier qui avait procédé aux premières constatations, puis Conklin alla se garer à côté de la dizaine de voitures de patrouille déjà sur place.

Nous nous dirigeâmes ensuite vers la scène de crime, et tandis que nous progressions à travers la foule, je lus la peur et la colère sur les visages des usagers du centre commercial. Ils avaient manifestement reçu pour consigne de ne pas quitter le parking sans avoir fait une déposition au préalable, et la poignée de policiers présents sur les lieux venaient tout juste de commencer une série d'interrogatoires qui risquait de se prolonger une bonne partie de la nuit.

L'officier qui était arrivé le premier sur place s'appelait Mike Degano, un jeune gars qui se trouvait à un pâté de maisons lorsque l'appel radio avait été lancé aux voitures de patrouille. Il possédait le profil type du flic qui aspire à intégrer la criminelle, et avait visiblement à cœur de se rendre utile.

Il pointa du doigt un coupé Mercedes XL noir :

— C'est probablement la voiture de la victime. Le type avait un porte-clés Mercedes dans la main au moment où il a été abattu. Le véhicule est enregistré au nom de Raoul Fernandez. J'ai fait une recherche. Il possède un casier : coups et blessures, trafic de drogue. Il a passé deux ans à Folsom et a été libéré en 2010.

Nous le suivîmes jusqu'à l'endroit où le corps d'un homme d'une vingtaine d'années était étendu sur l'asphalte, ses bras ornés de tatouages déployés comme des ailes. D'après moi, il s'était dirigé vers le centre commercial, s'était retourné pour faire face à son assassin, et s'était alors écroulé, terrassé par quatre balles en pleine tête.

Il fallait une main sûre, et un pistolet automatique pour tirer ainsi à quatre reprises dans ce genre de configuration. J'avais beau être une fine gâchette, j'en aurais été incapable.

Je jetai un œil autour de moi tandis que les lampadaires commençaient à s'allumer. Des Caddies étaient abandonnés çà et là comme des barques sur un lac de bitume. Des sacs en papier gisaient éventrés là où leurs propriétaires les avait lâchés, laissant échapper leur contenu. Des caméras de surveillance étaient fixées au sommet des lampadaires, mais la scène s'était déroulée à une bonne centaine de mètres de l'objectif le plus proche.

— Il y a des témoins ? demandai-je à Degano.

— Oui. Un petit vieux, un certain Jonathan Nathan. Il est là-bas, avec une chemise rouge. Il a entendu les coups de feu.

56.

Jonathan Nathan était un septuagénaire au dos voûté. Il portait ses lunettes au bout du nez, une chemise hawaïenne rouge et blanche sous un coupe-vent beige, un pantalon en toile et une paire de tongs. L'air méfiant il scrutait le parking comme s'il craignait une nouvelle fusillade.

— Pouvez-vous nous raconter ce que vous avez vu, monsieur Nathan ?

— Avec plaisir. J'étais en train de ranger mes courses dans le coffre de ma voiture quand j'ai entendu plusieurs coups de feu. J'ai regardé autour de moi, mais j'ignorais d'où provenaient les tirs. Avec toutes les voitures qui circulaient sur le parking, la panique générale, pas facile d'y voir clair...

— Que s'est-il passé ensuite ? demandai-je.

— J'ai vu le corps de la victime, répondit Nathan en se prenant la tête à deux mains. J'ai couru vers lui, mais le gars ne respirait déjà plus. Il était mort. Je n'ai même pas essayé de le réanimer, ça n'aurait servi à rien. Vous comprenez ?

— Oui, je comprends tout à fait. Je vous en prie, poursuivez.

— Mon téléphone n'avait plus de batterie, alors j'ai fait signe à un type qui passait dans son SUV et je lui ai demandé d'appeler la police. Il a passé l'appel, et puis il est parti.

Conklin et moi eûmes la même pensée au même moment. Le pseudo-flic qui avait interpellé la BMW dans Schwerin Street conduisait lui aussi un SUV.

Rich prit le relais pour la suite de l'interrogatoire, enchaînant les questions à un rythme soutenu qui constituait sa marque de fabrique :

— Cet homme qui conduisait un SUV, pourriez-vous le décrire ?

— Eh bien... Comment dire... C'était un type d'apparence banale.

— Noir ? Blanc ? Hispanique ?

— Blanc.

— Jeune ? Vieux ? Gros ? Maigre ?

— Franchement, je ne sais plus.

— La couleur de ses cheveux ?

— Je me trouvais du côté passager, vous savez. Et il était à contre-jour.

— Très bien, monsieur Nathan. À quoi ressemblait son SUV ?

— Il était noir, je crois. Oui, j'en suis même certain.

— Quelle marque ?

— Ça, je n'en ai aucune idée. Vous croyez vraiment qu'on se rappelle ce genre de détails quand on vient d'assister à une fusillade ? Et puis ça suffit. Je dois rentrer chez moi, maintenant. Ma femme est morte d'inquiétude. Sans compter que nous avons des invités. Au départ, j'étais juste venu faire quelques courses.

Je pris les coordonnées du vieil homme et lui remis ma carte, puis mon coéquipier et moi retournâmes près du corps. La camionnette de la police scientifique arriva sur ces entrefaites et les techniciens commencèrent à se déployer sur la scène de crime.

— Tu as remarqué comme le tueur était proche de sa victime ? Pareil avec Chaz Smith et les trois jeunes de la BM. Maintenant, c'est au tour de Raoul Fernandez, dealer de Potrero Hill. Il connaissait ses victimes, c'est évident. Et il est parfaitement organisé. Ce type est un perfectionniste.

— Doublé d'un vrai cinglé, ajouta Conklin. Il a abattu cinq types cette semaine. Huit au total.

— Et dire que Brady soupçonne Jacobi !

— En parlant de Brady, le voilà qui approche.

57.

La voiture s'immobilisa dans un grincement de freins à quelques mètres du ruban jaune qui délimitait la scène de crime. Les lieutenants Brady et Meile bondirent de leurs sièges et se ruèrent vers nous.

— Quel est le topo ? lança Brady sans préambule.

— La victime s'appelle Raoul Fernandez, expliquai-je en désignant le corps étendu sur le sol. Trafiquant de métamphétamine et ancien détenu. Il est mort sur le coup.

— Des témoins ?

— Un seul pour le moment. Il a peut-être vu le tireur, un Blanc sans signes particuliers qui conduisait un SUV noir. Notre témoin lui a demandé d'appeler le 911, ce que l'homme a apparemment accepté de faire. La bande va être analysée.

J'ajoutai que plusieurs officiers étaient en train de noter les noms et numéros de téléphone de toutes les personnes présentes sur le parking à l'arrivée de la police. D'autres se chargeaient d'interroger les clients à l'intérieur du centre commercial.

— Les lecteurs de plaques ont chauffé, et on peut dire que la moisson a été plutôt bonne : deux voitures volées et deux conducteurs sous mandat d'arrêt. Mais ni l'un ni l'autre ne semble être le tireur. J'ai demandé au légiste de nous laisser une heure pour fouiller la scène de crime. On a aussi demandé les enregistrements des caméras de surveillance.

— Espérons qu'on y verra ce fameux SUV noir…

Brady laissa sa phrase en suspens, mais je savais où il voulait en venir. Les techniques d'analyse étaient devenues si perfectionnées que même une vue partielle de la carrosserie pouvait suffire à identifier le modèle.

Brady, Conklin et moi restâmes à observer les techniciens. Ils travaillaient vite et bien, photographiant les rayures sur les portières de la voiture, traçant des repères autour des traces de sang et mettant en sachet les objets retrouvés sur l'asphalte.

L'équipe du légiste n'allait pas tarder à emporter le corps tandis que les techniciens chargeraient la voiture sur un camion plateau pour l'emmener au laboratoire. Dès le lendemain matin, le centre commercial ouvrirait ses portes comme si rien ne s'était passé.

Et pourtant, un homme y avait bel et bien été abattu par un tueur en série qui s'en donnait à cœur joie.

— Je reviens dans cinq minutes, fis-je en me tournant vers Conklin.

Je m'éloignai de quelques mètres pour passer un coup de fil à Jacobi. Sa voix me parut si réelle que je commençai à parler sans me rendre compte qu'il s'agissait du répondeur :

— Salut, Jacobi. C'est Lindsay.

« Laissez-moi un message. » poursuivit la voix de mon ancien coéquipier.

Ce que je fis. Je lui dis qu'il me manquait, que j'avais hâte de le revoir et je lui demandai de me rappeler dès qu'il aurait mon message.

Il me manquait vraiment.

Je voulais absolument lui parler de cette affaire de vengeur solitaire et entendre ce qu'il avait à dire. Peut-être sa vision des choses éclairerait-elle l'enquête sous un jour nouveau. Et peut-être glisserait-il dans la conversation un élément qui établirait son innocence. J'étais certaine que Brady délirait complètement. Jacobi n'était pas un assassin.

Non, mon ami ne pouvait pas être le Vengeur.

58.

Cindy était loin d'être la seule à faire des heures sup. Une dizaine de bureaux étaient encore allumés, et des éclats de rire mêlés au bruit de la photocopieuse lui parvenaient de l'autre bout du couloir.

Ces derniers temps, les horaires de bureau classiques n'avaient plus cours.

Tout le monde voulait être certain de trouver une chaise au cas où la musique s'arrêterait.

Cindy alluma sa lampe et relut le texto de Richie : *Appelé pour un homicide. A+. Bisous.* Elle lui envoya le message suivant : *O.K. A+.*

En reposant son téléphone elle se demanda pourquoi elle avait laissé passer plusieurs minutes avant de lui répondre. Et pourquoi ne lui avait-elle pas rendu ses « bisous » ? Était-elle en train de devenir comme ses parents ?

Sa mère était psy, son père prof de maths, et lorsque Cindy était enfant, elle les avait surnommés Maman-Robot et Papa-Robot parce qu'ils passaient leur temps à tout analyser dans les moindres détails.

Exactement ce que Cindy faisait avec Richie : *Oui, non, peut-être,* et ce en boucle jusqu'à plus soif.

Une autre chose l'obsédait : les nombres 104 et 613, qu'elle tournait et retournait dans tous les sens comme s'il s'agissait du *Da Vinci code*.

Elle se disait que si elle ne parvenait pas à les décoder, quelqu'un d'autre le ferait à sa place. Jason Blayney, par exemple. Voilà pourquoi elle avait déjà passé des dizaines d'heures à se torturer les méninges.

Pour commencer, elle avait tenté de relier ces nombres à Harry Chandler. Ce dernier avait séduit un nombre incalculable de femmes au cours de sa carrière. Le magazine *People* lui avait décerné à trois reprises le titre d'homme le plus sexy de la planète, et il avait fait la couverture des tabloïds pendant des années à cause des femmes célèbres avec lesquelles il apparaissait lors des soirées mondaines.

Harry Chandler avait-il eu 613 conquêtes ? Et dans ce cas, à quoi correspondait le nombre 104 ? Ce n'était ni son adresse ni sa date d'anniversaire. Aucun rapport non plus avec la plaque d'immatriculation de sa voiture.

Cindy avait fini par abandonner cet axe d'analyse et opté pour une nouvelle approche. Elle avait rentré les nombres dans son moteur de recherche, et découvert qu'en insérant un double point entre le 6 et le 13, elle tombait sur un passage de la Bible intéressant.

Romains 6 :13 : « Ne livrez pas vos membres au péché, comme des instruments d'iniquité ; mais donnez-vous vous-mêmes à Dieu, comme étant vivants de morts que vous étiez, et offrez à Dieu vos membres, comme des instruments de justice. »

Replacé dans le contexte, ce passage donnait carrément la chair de poule. « Ne livrez pas vos membres au péché… »

La personne qui avait enterré les crânes à Ellsworth avait-elle voulu signifier que les victimes étaient coupables de péchés ?

Une nouvelle recherche en tapant « 1 :04 » ne lui apporta rien de plus sur le plan biblique.

1/04 et 6/13 devaient-ils être envisagés comme des éléments permettant de dater les décès ? Heure ? Jour ? Date ?

Elle passa en revue les listes dont elle avait fait le copié-collé depuis Wikipédia. Elles contenaient des centaines de personnes nées un 4 janvier et décédées un 13 juin, mais rien de probant.

Cindy s'empara alors de son téléphone et pianota un message à l'intention de Lindsay : *De nouvelles identifications ?*

Pas encore, reçut-elle pour toute réponse.

O.K. Merci.

Et merde ! Cindy quitta son bureau et dégota trois personnes qui étaient d'accord pour commander une pizza avec elle. En attendant d'être livrée, elle se remit au travail.

59.

Une routine s'était installée.

Je rentrais chez moi aux alentours de 23 heures, les pieds en compote et l'estomac dans les talons. J'étais accueillie à la porte par mon border collie survolté et sa nounou toujours très calme. Je raccompagnais Karen jusqu'à sa voiture, puis j'attendais que les feux arrière de sa Volvo disparaissent au loin pour regagner mon appartement qui, sans Joe, me semblait désespérément vide.

Je l'avais au téléphone deux fois par jour depuis son départ, mais ces brèves conversations constituaient au mieux une légère friandise et ne compensaient pas l'absence physique de mon mari.

Ce soir-là, je me réchauffai au micro-ondes un plateau télé très masculin – steak Salisbury et haricots verts – puis me rendis au salon et m'installai confortablement dans le fauteuil de Joe, le plateau calé sur les fesses de mon bébé.

— Ça ne te dérange pas, mon chou ?

Pas de problème, m'man.

L'édition nationale du journal télévisé était sur le point de se terminer. J'attaquai mon steak et ce fut bientôt l'heure des nouvelles locales. Le premier reportage concernait la fusillade survenue au Potrero Center.

Le présentateur dépêché sur place décrivit cette nouvelle exécution avec une grande précision et jusque dans ses détails les plus sordides. Il ajouta que la victime était le cinquième dealer à avoir été abattu au cours des cinq derniers jours.

« Dans une interview accordée à *KTVU* un peu plus tôt dans la journée, le spécialiste des affaires criminelles, Ben Markey, a expliqué que ces assassinats n'étaient pas liés à une guerre des gangs mais seraient imputables au SFPD. Selon lui, face à l'impuissance de la police incapable d'endiguer le fléau de la drogue, un tueur aurait décidé de faire lui-même régner la justice.

» D'autre part, Channel Two a appris ce soir que la DEA avait constitué une équipe chargée d'enquêter sur ces assassinats en série. Joseph Molinari, un ancien du FBI, a été engagé comme consultant. Actuellement établi à San Francisco, Molinari a également exercé les fonctions de directeur adjoint du département de la sécurité intérieure. »

Je fixai longuement l'écran de ma télévision en tâchant de digérer cette information. Mon mari était devenu consultant auprès de la DEA et je l'apprenais de la bouche d'un journaliste !

Je débarrassai mon plateau, rassemblai mes esprits et me levai de mon fauteuil pour aller téléphoner à Joe. Trois fuseaux horaires plus loin, à 2 h 30 du matin, Joe prit l'appel.

— Qu'est-ce qui ne va pas, Linds ? lança-t-il d'une voix effrayée.

— Ça va, ne t'inquiète pas. Je viens seulement d'apprendre que tu avais décroché un nouveau job !

— Tu n'as pas eu mon message ?

— Figure-toi que non !

— Je t'en ai pourtant laissé un.

Je jetai un coup d'œil à l'écran de mon portable et vis clignoter l'icône indiquant que j'avais effectivement reçu un message. Il avait dû arriver pendant que je recueillais les témoignages des clients du centre commercial.

— Désolée, Joe. Je ne l'avais pas vu.

— Je rentre demain soir. La DEA m'a chargé d'enquêter sur la mort de Chaz Smith.

— Mais... pourquoi ?

— Parce que Chaz Smith n'était pas seulement un agent des stups. Il faisait également partie du FBI.

TROISIÈME PARTIE

AMIS ET AMANTS

60.

Il était 19 heures, et l'ordinateur de bord de notre voiture de patrouille affichait une température extérieure de cinq degrés. Conklin et moi étions garés devant le restaurant LuLu, où Jacobi était un habitué. C'était un endroit accueillant et confortable, doté d'un four à bois traditionnel. La carte des vins y était excellente, et ils servaient des plats provençaux à tomber à la renverse.

La dernière fois que nous y avions mangé, Jacobi nous avait invités pour nous féliciter, Conklin et moi, d'avoir mis fin aux agissements d'un tueur que nous cherchions à coincer depuis longtemps – même si j'étais ce soir-là persuadée que nous nous étions trompés de coupable.

— Tu penses à quoi ? me demanda Conklin en me tapotant les côtes.

— Je repensais à la fois où Jacobi nous avait invités ici.

— Je crois me rappeler que tu portais une robe. Un événement assez rare pour être souligné.

— C'est tout ce dont tu te souviens ?

— Non. Je me rappelle que j'avais commandé des moules rôties. Et Jacobi t'avait demandé d'arrêter de faire la gueule et d'essayer de te détendre un peu, ou un truc dans le genre.

L'évocation de ce dîner nous fit sourire, mais l'ambiance n'était pas à la fête. Nous étions chargés de surveiller Jacobi, que nous avions suivi depuis sa maison d'Ivy Street, dans le quartier d'Hayes Valley. Mon vieil ami dînait seul, comme souvent. De tout temps, la vie de Jacobi m'avait semblé particulièrement triste et solitaire, ce qui en rendait d'autant moins excusable mon comportement à son égard – j'aurais dû l'appeler beaucoup plus souvent pour prendre de ses nouvelles.

— J'aimerais autant en finir au plus vite, fis-je à mon coéquipier.

Je sortis mon téléphone et composai le numéro de Jacobi. Il décrocha à la première sonnerie.

— Salut, Warren. C'est Lindsay.

— Hé ! Comment va, Boxer ?

— Pas trop mal. Je bosse sur deux enquêtes qui sont en train de me rendre folle.

— Oui, j'ai suivi tes exploits dans la presse.

— Tu es donc au courant. J'ai d'un côté une série de meurtres pour le moins sanglants, et de l'autre de mystérieuses têtes décapitées. J'aurais bien aimé discuter de tout ça avec toi.

— Tu fais quoi, tout de suite ?

— Rien de spécial.

C'était plus ou moins vrai.

— Je suis chez LuLu. Viens me rejoindre ! Tu as faim ?

— O.K. Je te rejoins d'ici une dizaine de minutes.

Je raccrochai puis me tournai vers Conklin :

— J'ai l'impression d'être une vraie chienne.

— Tu veux l'éliminer de la liste des suspects, oui ou non ?

— Oui, bien sûr.

— Alors va lui parler. Si ses réponses te paraissent étranges, à ce compte-là, on avisera.

— Tu as raison.

— Je reste ici jusqu'à ce que tu sortes du restaurant.

— Pas la peine, tu sais. Mais merci quand même.

— Je t'attends, O.K. ?

— O.K.

Nous restâmes assis dans l'obscurité pendant huit longues minutes, puis je quittai la voiture et me dirigeai vers le restaurant.

61.

En ouvrant la porte de notre appartement de Lake Street, je reconnus aussitôt l'air de *La Traviata*. Une veste en cuir était suspendue au portemanteau dans l'entrée. Martha s'élança à toute berzingue depuis le salon pour me sauter dessus et Joe apparut juste après. Je sentis mes yeux s'embuer de larmes.

Ma joie de retrouver mon mari était telle que j'éprouvais en même temps une colère parfaitement irrationnelle – j'étais furieuse qu'il soit parti si longtemps alors que je l'aurais voulu à mes côtés tous les soirs.

Joe me serra dans ses bras. Je déposai un baiser furtif sur sa joue et me tortillai pour me libérer de son étreinte, mais il refusa de me laisser partir.

— Je suis là, Lindsay. Je suis là.

— Ce n'est pas ma faute, Joe. Ce sont mes hormones qui me jouent des tours.

— Je sais, je sais.

J'abandonnai la partie et le serrai si fort qu'il fit semblant d'étouffer.

— Au secours ! De l'air ! souffla-t-il en éclatant de rire.

Il me prit la main et m'emmena jusqu'au canapé. Là, il s'assit à côté de moi, m'ôta mes chaussures, posa mes pieds sur ses genoux et me fit un massage littéralement divin.

— Tu veux que je te prépare un truc à manger ?

— J'ai déjà dîné.

— Comment va le bébé ?

— On se porte tous les deux comme un charme.

— Tu ne m'avais pas promis de travailler un peu moins et de dormir un peu plus ?

— Je te rappelle que je dirige deux enquêtes dignes du mystère des trous noirs !

— Raconte-moi tout.

— Ça fait longtemps que tu es rentré ?

— Une heure. Allez, Lindsay. Vide ton sac.

— Je me sens tellement frustrée que je n'ai même pas envie d'en parler.

— Essaie quand même.

Joe me fit son plus beau sourire et je finis par me laisser fléchir. Je lui parlai du Vengeur et lui dressai un compte rendu des événements survenus depuis l'assassinat de Chaz Smith dans les toilettes de la Morton Academy.

J'évoquai ensuite la tuerie de Schwerin Street et lui exposai notre hypothèse selon laquelle un homme se faisant passer pour un flic à bord d'une voiture équipée de gyrophares les avait arrêtés, avant de les exécuter et de mettre le feu à leur BM. J'ajoutai qu'il avait utilisé la même arme que celle qui avait servi à abattre Chaz Smith, et que cette arme avait été dérobée dans notre salle des preuves.

Sans prendre le temps de respirer, j'enchaînai avec l'exécution de Raoul Fernandez au Potrero Center, la veille au soir :

— Quatre balles en pleine tête, tirées presque à bout portant.

Je conclus en expliquant que Brady soupçonnait Jacobi d'être le tueur.

— Jacobi ? Tu veux dire, Warren Jacobi ? *Notre* Jacobi ?

— Il pense que Jacobi a gardé une rancune envers les deux jeunes qui nous ont tiré dessus dans Larkin Street. Il a entendu dire qu'il n'a plus jamais été le même après ça. Et, selon lui – ce qui est d'ailleurs vrai –, Jacobi aurait pu accéder à la salle des preuves à n'importe quel moment sans avoir à en référer à qui que ce soit et sans que personne le remarque.

» Toujours selon Brady, son long congé maladie lui aurait laissé tout le loisir de zigouiller les huit dealers – huit ou plus, d'ailleurs, on n'est peut-être pas encore au bout de nos surprises. Et pour finir, il a appris que Jacobi s'était emporté l'année dernière, après que plusieurs adolescents ont fait des overdoses à cause d'une héroïne de mauvaise qualité.

— Je crois me rappeler qu'il a balancé une chaise.

— La belle affaire ! Moi aussi, ça m'est déjà arrivé !
— De jeter une chaise sur quelqu'un pendant un interrogatoire ?
— Non, soupirai-je.
— Quand as-tu vu Jacobi pour la dernière fois ?
— Tout à l'heure. On a dîné ensemble.
— Si jamais Brady a raison – je dis bien *si* – et que Jacobi a vraiment déraillé, il pourrait devenir dangereux s'il te soupçonne de le surveiller. Dangereux pour toi, Lindsay.

62.

— Je pense que tu te trompes, Joe.
Nous étions à présent au lit. Je posai ma tête sur son torse et entrepris de lui exposer mon point de vue sur l'affaire.
— Jacobi croit beaucoup en la loi, et décider subitement de rendre la justice d'une manière aussi brutale ne va pas seulement à l'encontre de la loi. C'est un acte criminel, passible de la peine de mort. Jamais il ne serait allé se fourrer dans un tel merdier. Et puis j'ai trouvé qu'il allait plutôt bien. Il avait l'air détendu. Il a perdu du poids. Il s'est mis au sport. Il avait bon appétit.
— Tu lui as demandé ce qu'il pensait de cette histoire de justicier solitaire ?

— Oui. Il pense que c'est un type intelligent et qu'il a accès à des informations en temps réel qui lui permettent de localiser facilement ses victimes. Il est peut-être équipé d'une radio qui capte les fréquences de la police, ou alors il dispose d'un solide réseau d'informateurs.

— Ça me paraît cohérent.

— D'après Jacobi, ce tueur est en mission. Peut-être une forme de mission suicide.

— Possible, en effet. Mais pour autant, rien de tout ça ne permet de l'exclure de la liste des suspects.

— J'ai tenté un coup de poker, tout à l'heure. J'ai dit à Jacobi qu'une rumeur attribuait ces assassinats à un flic. Il m'a répondu : « Possible, mais ça peut aussi très bien être un tueur à gages ou un dealer décidé à éliminer la concurrence. »

— Tu n'as pas eu l'impression qu'il cherchait à noyer le poisson ? Qu'il avait quelque chose à dissimuler ?

— Non. Mais, d'un autre côté, si Jacobi cherchait à me cacher quelque chose, je pense qu'il y parviendrait assez facilement. Je ne suis pas allée jusqu'à lui demander ce qu'il avait fait hier soir. Je n'en ai pas eu le courage.

— Tant mieux, fit Joe en m'embrassant sur le front. Tu as tout intérêt à la jouer tranquille, Blondie.

Je me blottis un peu plus contre lui. J'avais peur pour Jacobi et je redoutais une nouvelle tuerie. Mais dans les bras de mon homme, je me sentais en sécurité.

— J'ai aussi parlé à Jacobi de l'affaire Ellsworth.

— Alors ? Il en pense quoi ?

— D'après lui, dans ce genre de cas, la victime est souvent une jeune prostituée. Tu te rappelles ce qui s'est passé à Albuquerque ?

— Les prostituées enterrées dans le désert ?

— Exactement. Dix-huit au total, toutes âgées d'une vingtaine d'années. On n'avait retrouvé que leurs squelettes parce qu'elles avaient été enterrées nues. Du coup, aucun indice permettant de retrouver le tueur. Il y avait un flic au service des personnes disparues qui avait collecté des échantillons d'ADN, ce qui avait quand même permis d'en identifier certaines.

— Je crois que le tueur n'a jamais été arrêté ?

— Non. Il court toujours. En ce qui concerne l'affaire Ellsworth, nous avons pu identifier l'une des victimes, Marilyn Varick, mais elle n'était pas fichée comme prostituée.

— Elle n'a peut-être tout simplement jamais été arrêtée pour des faits de prostitution.

— C'est possible. Ceux qui s'attaquent aux prostituées sont souvent des hommes blancs âgés de trente-cinq à cinquante ans qui ont déjà eu des démêlés avec la justice.

— Harry Chandler a la soixantaine, c'est bien ça ?

— Soixante-trois pour être exact. Si c'est lui le coupable, cela signifie qu'il tenait à rester proche de ses victimes – et dans ce cas, je ne pense pas que ce soit lui qui les ait déterrées. Quelqu'un d'autre cherche à faire passer un message.

— Tout ça est bien confus.

— À qui le dis-tu !

Je songeai de nouveau à Jacobi. Je le revoyais, assis face à moi chez LuLu – mon ancien coéquipier, mon ami depuis plus de dix ans.

— Jacobi ne peut pas être le Vengeur, Joe. C'est impossible. Je le connais trop bien.

— Peut-on jamais vraiment connaître qui que ce soit ?

63.

Je me levai sur les coups de 6 heures du matin, enfilai ma tenue de jogging et sortis sans un bruit, laissant Joe à ses ronflements.

Martha et moi partîmes pour une traversée du Presidio en petites foulées rapides. À notre retour, le soleil éclaboussait le parquet de la chambre et Joe roupillait encore.

Je refermai la porte derrière moi, pris une douche bien chaude puis allai m'installer devant mon ordinateur portable.

Ma boîte mail débordait de spams et de messages en tout genre, et il me fallut un bon quart d'heure pour effectuer le tri et tomber enfin sur les gros titres du jour. Le lien du *Post* me renvoya à un article sur la fusillade du Potrero Center.

Je le parcourus brièvement pour voir sous quel angle ce rat de Blayney avait abordé l'affaire. Je voulais me préparer à une éventuelle riposte. Surprise, un lien menait le lecteur vers un article sur Joe Molinari.

Je m'attendais à lire un complément d'information à propos de l'enquête que lui avait confiée la DEA, mais ce que je découvris me fit l'effet d'une douche froide.

Blayney était un type perfide doublé d'un menteur, mais la photo qu'il avait postée n'en demeurait pas moins authentique. Surmontée de ce titre : « Virée nocturne pour l'agent fédéral », elle montrait Joe en train de monter un escalier de pierre au bras d'une femme brune à la silhouette élancée. Elle portait une longue robe noire moulante, et un collier de diamants étincelait à son cou.

Impeccable dans son smoking, Joe était penché vers elle et semblait lui murmurer quelque chose de charmant, car elle levait vers lui un visage illuminé d'un sourire complice.

> Joseph Molinari, ancien directeur-adjoint du département de la sécurité intérieure, a été vu en compagnie de June Freundorfer jeudi soir au Phillips Collection, dans le quartier de Dupont Circle, lors d'une soirée caritative organisée au profit de la recherche sur la mucoviscidose. La patronne du FBI, June Freundorfer, est une figure bien connue du tout Washington, et sa présence a une fois de plus illuminé la fête.

Je parcourus le texte en diagonale jusqu'à trouver la phrase qui m'intéressait :

> M. Molinari est marié au sergent Lindsay Boxer, du SFPD...

C'était plus que je ne pouvais en supporter.

Je refermai l'écran de mon ordinateur d'un coup sec, mais l'image de Joe et de cette femme restait gravée dans mon esprit. Je savais que June Freundorfer avait été la collègue de Joe pendant plusieurs années et je soupçonnais cette relation d'avoir été la cause principale de son divorce.

Si je comprenais que Joe avait été autrefois très proche d'elle, j'ignorais en revanche qu'il l'était encore.

Avaient-ils une liaison ?

Joe la rejoignait-il tous les mois lors de ses déplacements à Washington ? Mes bouleversements hormonaux étaient-ils en train de me rendre parano ? Je savais comment réagir face à ces changements d'humeur inopinés : faire une sieste, aller me promener, passer du temps avec mon mari, essayer d'être moins dure avec moi-même.

Raisonnais-je avec lucidité ? Jason Blayney m'avait adressé un message personnel en précisant que Joe était mon mari.

J'allai vomir aux toilettes avant de reprendre une douche, puis retournai dans la cuisine. Joe avait laissé son BlackBerry sur la table. Le téléphone se mit à vibrer.

L'écran indiquait « June Freundorfer ».

Je gambergeai à toute vitesse. Je devais me décider vite.

Troisième sonnerie.

64.

Je prenais peut-être un risque, mais je ne pouvais résister à l'envie de répondre.

Je pressai la touche verte et approchai le téléphone de mon oreille. Un bruit de circulation me parvint à l'autre bout de la ligne. L'attente était insupportable, presque douloureuse, mais je me forçai à ne pas parler.

— Joe ?

— Non, c'est Lindsay. Sa femme.

Je me hissai sur le tabouret de bar installé près du comptoir. Il y eut un long silence pendant que mon interlocutrice analysait ce qu'elle venait d'entendre. J'avais la tête qui tournait.

— Oh, Lindsay. Bonjour... Joe est là ?

Sa voix était plus douce que je ne l'avais imaginé.

— Il dort encore. Je crois qu'il ne s'est pas remis du décalage horaire. Écoutez, June, je veux savoir la vérité. Avez-vous une liaison avec Joe ?

J'aurais sûrement pu tenter d'obtenir l'information par des moyens détournés, lui poser des questions sur la soirée caritative, expliquer que j'avais vu la photo et que je me demandais pourquoi Joe ne m'en avait pas parlé. Une approche moins frontale qui m'aurait laissé le champ libre pour battre en retraite, mais je n'étais pas d'humeur pour ce genre de reculade.

Je sentais mon pouls battre dans mon cou tandis que la question flottait le long d'une ligne téléphonique virtuelle longue de cinq mille kilomètres.

Avez-vous une liaison avec Joe ?

Au bout d'un moment, la femme laissa échapper un soupir :

— Le moment est peut-être mal choisi pour discuter de ça, Lindsay.

— Alors quand, June ?

— Je ne voulais pas que les choses se passent ainsi. Nous ne voulions pas que vous l'appreniez, mais je suppose que ça ne sert plus à rien de mentir.

J'eus l'impression que le sol venait de s'effondrer sous mes pieds et que je tombais dans le vide. Je m'entendis parler comme si ma voix résonnait à l'extérieur de mon corps :

— Vous ne vouliez pas que j'apprenne que vous couchiez ensemble ? Êtes-vous au courant que je suis enceinte ?

— Oui.

— C'est tout ce que je voulais savoir.

— Attendez, Lindsay. Joe vous aime beaucoup.

Sa voix de petite fille me faisait l'effet d'un vent glacial soufflant dans mes cheveux.

— Joe et moi sommes très proches, Lindsay. Nous l'avons toujours été, même s'il n'a jamais été question de mariage. C'est ainsi, voilà tout.

Je mis fin à l'appel.

Je me rappelle avoir dû me cramponner au comptoir à deux mains pour ne pas tomber de mon tabouret.

Étais-je en train de devenir folle ? La maîtresse de Joe venait-elle de me dire que mon mari m'aimait beaucoup ? Ces mots étaient-ils vraiment sortis de sa bouche ? Quelle garce !

Et qu'entendait-elle au juste par « c'est ainsi, voilà tout » ? Leur histoire d'amour était-elle donc inéluctable ? De l'ordre de l'attirance hormonale ? Un truc lié au destin ?

Qui était vraiment l'homme que j'avais épousé ?

« Peut-on jamais vraiment connaître qui que ce soit ? » m'avait dit Joe la veille.

Que faire à présent ?

J'allais bientôt donner naissance à un bébé. *Notre* bébé.

Le portable de Joe sonna de nouveau et le nom de June s'afficha sur l'écran. Je pressai successivement la touche verte et la touche rouge. Je n'avais aucune envie de lui parler, et je ne voulais pas qu'elle lui laisse un message.

Je m'emparai du téléphone et allai le jeter dans le réservoir de la chasse d'eau des toilettes. Il sonna une nouvelle fois avant de s'éteindre.

Et maintenant ?

Soudain, comme si un message m'était parvenu depuis les profondeurs d'une *Magic 8 Ball*, je sus quoi faire.

65.

J'ouvris la porte d'un violent coup d'épaule. Le vacarme tira Joe du sommeil profond dans lequel il était plongé.

J'avais eu l'intention de l'effrayer, mais je n'avais pas imaginé qu'il irait jusqu'à sortir son flingue. Il glissa sa main sous le matelas, puis se rendit compte que l'intrus n'était autre que sa femme – une version de sa femme qu'il avait encore rarement vue.

— Lindsay ! Qu'est-ce qui se passe ?

— Qu'est-ce qui se passe ? hurlai-je. Qu'est-ce qui se passe entre toi et June Freundorfer, plutôt ? Comment tu as pu me faire ça, Joe ?

Assis dans le lit, il m'observa d'un air médusé.

— Mais de quoi tu parles ?

— Ne me mens pas ! Elle m'a tout avoué.

— Avoué quoi ? On est allés ensemble à une soirée caritative, rien de plus. Je n'ai pas eu l'occasion de t'en parler, mais je n'avais pas l'intention de te le cacher.

— Une soirée caritative ? Bien sûr ! Ça doit être la nouvelle excuse à la mode quand on trompe sa femme !

— Je ne comprends pas pourquoi elle t'a appelée.

— C'est toi qu'elle a appelé !

— Je vois. Et c'est toi qui as répondu.

— Comment tu as pu nous faire ça ?

— Je n'ai rien fait de mal, Lindsay. Rien du tout.

Je m'avançai dans la chambre et ouvris d'un geste brusque les portes du placard. La valise de Joe était là ; comme par un fait exprès, il ne l'avait pas encore déballée.

Je la traînai hors du placard et la balançai sur le sol, aux pieds de Joe, qui bondit hors du lit et s'approcha de moi les bras grands ouverts. Il parlait, mais je ne l'entendais déjà plus. Je ne comprenais plus ce qu'il disait. Je sortis du placard une veste et un pantalon, ouvris le tiroir pour y prendre des sous-vêtements.

Je voulais partir loin de lui avant de me mettre à pleurer.

— Arrête, Lindsay. Je n'ai pas de liaison avec June ni avec qui que ce soit.

Je me retournai brusquement. Aveuglée par la colère et l'adrénaline, j'avais du mal à le regarder en face.

— Pourquoi June m'aurait-elle menti ? Elle m'a dit texto : « C'est ainsi, voilà tout. »

— Elle voulait peut-être parler de notre amitié.

— J'aimerais pouvoir te croire, Joe, mais tu mens vraiment très mal. Je ne supporte même plus le son de ta voix, alors s'il te plaît, va-t'en. Je t'enverrai tes affaires là où tu me diras de les envoyer. En tout cas, je veux que tu sois parti quand je reviendrai.

Je m'habillai en hâte dans la salle de bains et quittai l'appartement sans un mot.

Je me sentais vide et déprimée. Jamais je n'avais subi une telle trahison.

66.

— Ça ne te dérange pas de me laisser le volant, Rich ?

Nous étions sur le parking d'Harriet Street, juste derrière le palais de justice.

— Qu'est-ce qui ne va pas ? me demanda mon coéquipier en me dévisageant comme si j'avais un poisson posé sur la tête.

— Rien. J'ai juste envie de conduire.

— O.K. Quand tu auras envie de me dire ce qui te tracasse, tu me feras signe.

Il m'envoya le trousseau de clés et, une minute plus tard, je manœuvrais notre voiture de patrouille au milieu de la circulation congestionnée du matin, direction Parnassus Heights, un quartier aisé situé à proximité de Haight.

Durant le trajet, mon coéquipier me rancarda sur l'information qu'il venait d'obtenir : Harry Chandler et son fils Todd, fruit de l'union avec sa première femme, étaient en froid.

En effectuant quelques recherches, Conklin avait découvert que, lorsqu'il était plus jeune, Todd avait changé son nom de famille pour Waterson, le nom de jeune fille de sa mère. Même s'il n'avait jamais vécu à Ellsworth, Todd avait néanmoins eu accès à la propriété à l'époque où Chandler y résidait avec sa deuxième épouse, Cecily, ainsi que les années suivantes.

— Todd Waterson, le mec de la télé ? J'ignorais que c'était le fils de Chandler.

— Peu de gens le savent.

— J'ai déjà vu son émission, c'est assez sympa. Tu as d'autres infos le concernant ?

— C'est un type intelligent. Il gagne pas mal de fric et reste toujours très discret sur sa vie privée. Je n'ai trouvé aucun ragot sur Internet.

La maison de Todd Waterson était située sur Edgewood Avenue, une rue étonnamment calme et verdoyante.

Suivant les indications de Conklin, je franchis un portail et m'engageai le long d'une allée richement paysagée. Je m'arrêtai devant le garage et jetai un œil autour de moi pour contempler le genre de maisons que l'on pouvait s'offrir dans le quartier avec un budget de trois millions de dollars.

Todd Waterson habitait une villa contemporaine aux façades recouvertes de stuc, à l'architecture influencée par le style Craftsman. Construite sur trois niveaux, elle possédait plusieurs vérandas prolongées par des terrasses qui jouissaient de vues panoramiques sur la baie et sur la ville. Isolée dans son écrin de verdure, la propriété respirait le calme et la tranquillité.

La porte d'entrée s'ouvrit à notre approche. Todd Waterson nous attendait. Il mesurait un mètre soixante-dix et portait un vieux jean et un sweat-shirt orné du logo PBS. Il avait les cheveux blonds, des lèvres fines, les mêmes yeux gris que son père et un visage assez quelconque.

— Sergent Lindsay Boxer, me présentai-je. Et voici mon coéquipier, l'inspecteur Richard Conklin.

— Bonjour. Pourquoi vouliez-vous me voir ?

— Nous enquêtons sur les meurtres commis dans la propriété d'Ellsworth.

— Laissez-moi un numéro où je peux vous joindre. Je n'ai pas le temps de vous parler.

— Désolé, monsieur Waterson, mais ça ne peut pas attendre.

— Très bien, entrez. Mais faites vite, O.K. ? J'ai rendez-vous au studio, et je ne peux pas arriver en retard.

67.

Nous le suivîmes à l'intérieur. Je remarquai au passage le parquet impeccablement lustré, le plafond cathédrale et les murs percés d'immenses baies vitrées. Des photos de Waterson interviewant des célébrités étaient affichées un peu partout.

L'homme nous fit signe de nous asseoir, puis déclara :

— Venons-en tout de suite au fait, si vous le voulez bien. Mais, avant toute chose, sachez que je n'ai ni vu ni parlé à mon père depuis maintenant cinq ans.

— Où étiez-vous le week-end dernier ? lui demandai-je.

— C'est ce que vous vouliez savoir ? s'étonna Waterson. Je suis sur la liste des suspects ? C'est vraiment très amusant !

— Je croyais que vous vouliez aller droit au but, rétorquai-je le plus sérieusement du monde.

— J'ai vaqué à mes occupations. Mais j'ai passé toutes les nuits chez moi.

— Quelqu'un peut-il témoigner de votre emploi du temps ?

— Attendez une minute. Avant que je ne vous communique des noms et des numéros de téléphone, j'aimerais savoir où vous voulez en venir et connaître les faits pour lesquels vous me soupçonnez.

— Sept crânes ont été déterrés dans le jardin de votre père.

— Oui, j'en ai entendu parler. Ça fait au moins cinq ans que je n'ai pas mis les pieds à Ellsworth. Depuis ma dernière dispute avec mon père.

— Verriez-vous un inconvénient à nous en donner le motif ?

— Évidemment. Ça ne vous regarde pas.

Conklin prit le relais. Il n'était pas enceinte, et il ne venait pas de demander à son mari de quitter le domicile conjugal. Il n'était même pas spécialement énervé.

— Nous menons une enquête sur votre père, expliqua-t-il.

— Je vois.

— Comment le décririez-vous ?

— C'est un narcissique, un coureur de jupons. Il peut parfois se montrer très cruel.

— Un coureur de jupons, dites-vous ? Saviez-vous que tous les crânes retrouvés à Ellsworth appartenaient à des femmes ?

— Vraiment ? Et donc, vous me demandez si mon père, cet homme que je viens de décrire comme une personne cruelle, pourrait être responsable de toutes ces morts ?

— C'est tout à fait ça.

Rich arborait son sourire du flic sympa et accommodant. Il était impossible de ne pas l'aimer et, d'une certaine manière, je ne dérogeais pas à la règle.

— Pensez-vous que votre père soit capable de commettre un meurtre ? Il a déjà été accusé d'homicide par le passé.

— Pour être honnête, je n'en sais rien. Il est capable de proférer les pires insultes, ça oui. Et il serait prêt à baiser toutes les femmes de la terre sans exception s'il le pouvait, mais de là à l'accuser d'être un assassin... Je garde mes distances avec lui, c'est tout ce que je peux vous dire.

— O.K., fit Conklin. Et où étiez-vous le week-end dernier ?

Todd Waterson se mit à rire :

— Je vais consulter mon agenda.

Il se leva de son fauteuil et se dirigea vers son bureau. Pendant ce temps, je contemplai la vue sur le Mont Sutro, une colline plantée d'eucalyptus située en plein cœur de la ville. Je repensai à Joe et à ce qu'il m'avait fait. Comment pourrais-je un jour lui pardonner ? Et si je n'y parvenais pas, comment allais-je faire pour élever seule notre enfant ?

Je songeai à quel point tout cela était triste pour ce bébé.

Todd Waterson revint s'asseoir, alluma son iPad et demanda à Conklin son adresse e-mail.

Conklin la lui communiqua, puis Waterson tapota un instant sur sa tablette.

— Je vous ai envoyé une liste des endroits où je suis allé et des personnes avec lesquelles je me trouvais. Y a-t-il autre chose que vous vouliez savoir ?

— Pourquoi n'avez-vous plus aucun contact avec votre père ?

— À cause de son homophobie. Il désapprouve ma façon de vivre et il n'a jamais hésité à me le faire savoir en termes choisis, si vous voyez ce que je veux dire. D'autres questions ?

Nous remerciâmes Waterson pour sa coopération et prîmes congé.

— Bien, fit Conklin. Nous avons donc Todd Waterson, un homosexuel qui déteste son père. Partons de l'hypothèse que c'est lui le tueur : il se met à assassiner des femmes dont il mutile les cadavres et s'introduit discrètement dans le jardin de son père pour enterrer leurs têtes ainsi que certains de leurs effets personnels. Plus tard, il revient les déterrer, les dispose sur le patio entourées de chrysanthèmes et, avant de partir, il laisse deux cartes sur lesquelles il inscrit des nombres énigmatiques.

Je me tournai vers lui et l'observai à mon tour comme s'il avait un poisson posé sur la tête.

— Tu as raison, lâcha-t-il. Pour moi non plus, ça ne tient pas la route.

Je lui confiai les clés de la voiture et nous regagnâmes le palais de justice en silence.

68.

Mon réservoir était à sec et il me restait une longue route à parcourir avant la fin de la journée.

Joe me téléphona plusieurs fois, mais je laissai sonner sans répondre.

Sur les coups de midi, Conklin et moi avions écarté Todd Waterson de la liste des suspects. Nous contactâmes Claire à trois reprises en six heures pour lui demander si le travail de reconstitution faciale entrepris à partir des crânes avait porté ses fruits.

Je passai même lui rendre une petite visite. Elle était occupée à autopsier le corps d'un type abattu au cours d'une fusillade entre deux gangs rivaux.

— Ça ne se fait pas en claquant des doigts, Lindsay. Le docteur Perlmutter y consacre un maximum de temps, mais elle est également sollicitée pour d'autres affaires. Et les expertises ADN sont toujours très longues à réaliser.

— L'enquête piétine et je me sens complètement impuissante.

— Tu bosses dessus depuis cinq jours et tu en parles comme si ça faisait déjà cinq mois !

J'allai prendre un café avant de regagner mon bureau.

Conklin et moi nous penchâmes ensuite sur les renseignements fournis par les nombreux appels reçus au standard, et ce jusqu'à 21 heures. Malheureusement, il n'en ressortit rien de concret - du blabla de personnes qui n'avaient rien d'autre à faire que d'appeler la police pour s'amuser ou laisser libre cours à leurs délires paranoïaques.

Je partageai une pizza avec Conklin, retournai travailler un peu et quittai le bureau à 22 heures. Une demi-heure plus tard, j'ouvris la porte de mon appartement plongé dans l'obscurité. Karen m'avait laissé un mot : elle avait sorti Martha et lui avait donné à manger.

J'écoutai les messages de Joe sur mon répondeur, allai me doucher, puis me servis un verre de lait chaud en écoutant de la musique douce.

Je ne dormis pas cette nuit-là. Impossible de fermer l'œil. Allongée dans mon grand lit, j'écoutais Martha ronfler paisiblement sur son coussin.

Vers 2 heures du matin, j'allumai la télé et zappai jusqu'à tomber sur une chaîne de télé-achat. J'appris ainsi que les épreuves numismatiques vendues dans leur écrin d'origine constituaient le cadeau idéal pour mes futurs petits-enfants. Suivirent les présentations du Body Trainer, d'un aspirateur miraculeux et du soutien-gorge le plus confortable jamais conçu !

J'éteignis le poste, mais mes yeux restèrent grands ouverts et je repensai longuement aux messages de Joe.

Sur les premiers, sa voix était empreinte de colère. Il hurlait, répétait qu'il m'avait dit la vérité, que June avait menti et que ma réaction montrait que je n'avais pas confiance en lui. Il trouvait ça insultant.

Il disait qu'il m'aimait et que je devais absolument répondre. « Rappelle-moi, Lindsay. Je suis ton mari. »

Sur les messages suivants, il s'excusait d'avoir crié. Il comprenait ma colère et promettait de ne plus s'emporter. Il voulait s'expliquer, me parler de tous les moments qu'il avait passés avec June au cours des deux dernières années.

« Il n'y en a pas eu tant que ça, Lindsay. Et nous n'avons jamais couché ensemble. Jamais. »

Sur son dernier message, il semblait désespéré. Il me laissait le nom et l'adresse de l'hôtel où il avait pris une chambre et me demandait de le rappeler si je voulais lui parler ou écouter ce qu'il avait à me dire.

Je ne souhaitais ni l'un ni l'autre.

Il était presque 7 heures lorsque je me levai pour me préparer une tasse de thé. Lorsque la sonnerie du téléphone retentit, je décrochai aussitôt, mais ce n'était pas Joe.

— Un corps a été retrouvé sur une plage de Big Sur il y a une heure, fit la voix de Conklin. Un surfeur, apparemment.

— Marilyn Varick pratiquait le surf.

— Oui, sauf que là, il s'agit d'un homme. Et le corps n'a pas été décapité.

— Quel rapport avec notre enquête ?

— Le type qui a prévenu la police a dit qu'il y avait une carte posée sur le sable à côté du corps. Avec dessus le nombre 613.

Je restai un moment abasourdie. Les meurtres liés à l'affaire Ellsworth ne faisaient donc pas partie du passé...

— Tu sais quoi, Rich ? Je pense à Chandler et à son yacht... On s'est toujours dit que les corps avaient pu être jetés à la mer.

— Tu crois qu'il serait assez bête pour se débarrasser d'un cadavre alors qu'on l'a dans le collimateur ?

— On n'a qu'à aller lui poser la question !

69.

Conklin et moi avions pris place dans la salle d'interrogatoire numéro deux, la plus petite et la plus spartiate des deux salles dont nous disposions à la brigade. Face à nous se tenaient Harry Chandler et son avocate, Donna Hewett.

Hewett jouissait d'une bonne réputation. Spécialisée dans la gestion des successions et des fiducies, c'était également une excellente fiscaliste, mais en aucun cas une avocate pénaliste. Chandler ne s'attendait sans doute pas à se retrouver devant nous ce jour-là.

S'agissait-il d'un coup de bluff ?

Harry Chandler était-il assez fou ou assez intrépide pour commettre un meurtre alors que l'attention des médias se focalisait sur lui ?

N'avait-il, au contraire, rien à se reprocher ?

Donna Hewett se lissa les cheveux, déposa sa mallette au pied de sa chaise et demanda :

— Mon client est-il en état d'arrestation ?

— Aucunement, répondit Conklin. Nous souhaitons l'interroger dans le cadre de notre enquête au regard de nouvelles informations. Nous avons simplement quelques questions à vous poser, monsieur Chandler. Où étiez-vous hier ?

Un sourire s'afficha sur le visage de Chandler.

Il portait un pull bleu en cachemire dont il avait remonté les manches. Ses mains ne présentaient aucune trace de coupures ou de contusions.

— Justement, je me suis mis à noter en détail mon emploi du temps, au cas où vous me tomberiez dessus sans prévenir.

Il sortit son téléphone de la poche de son pantalon et pianota dessus un moment :

— Kaye et moi avons quitté le *Cecily* aux alentours de 8 heures du matin pour aller prendre notre petit déjeuner au Just for You Café, à Dogpatch. J'ai commandé des gaufres, et Kaye des œufs Bénédicte.

La serveuse s'appelait Shirley Gurley. (Il s'interrompit le temps d'un sourire hollywoodien puis ajouta :) Je me demande ce qui est passé par la tête de ses parents au moment de choisir le prénom ! Après ça, nous sommes allés au marché, histoire de faire le plein en vue d'une petite escapade.

— Et où êtes-vous allés ? s'enquit Conklin.

Je songeai au surfeur de dix-sept ans retrouvé sur la plage, dont le corps reposait à présent sur une table d'autopsie. L'heure du décès n'avait pas encore été établie.

— Que cherchez-vous au juste, inspecteur ? intervint Hewett.

— Le corps de ce garçon a été retrouvé tôt ce matin sur une plage de Big Sur, fis-je en posant sur la table les photos de l'adolescent prises à la morgue. Sa mort est liée à l'affaire des crânes déterrés à Ellsworth.

Chandler leva les yeux, et son regard croisa le mien :

— Je ne connais pas ce jeune homme. Je ne l'avais jamais vu, vivant ou mort.

Malgré la réticence de son avocate, Chandler nous communiqua les noms des boutiques dans lesquelles Kaye et lui étaient allés faire du shopping. Il nous montra des photos sur son portable, datées, les montrant tous les deux. Pour faire bonne mesure, il précisa que les caméras de surveillance du yacht club avaient filmé son bateau quittant la marina à 4 heures du matin et à son retour à 21 heures.

Je lui demandai depuis combien de temps il n'avait pas vu son fils, Todd.

— De nombreuses années. Et non, je ne crois pas qu'il ait tué qui que ce soit. Mais vous devriez aller lui poser directement la question.

— Nous avons obtenu un mandat de perquisition pour votre bateau, lançai-je.

— Vous plaisantez ?

— Notre équipe est actuellement sur place.

— Ils sont dans mon bateau ?

Cette fois, nous l'avions définitivement mis en rogne. Il bondit de sa chaise et se tourna vers son avocate :

— Je ne suis pas obligé de continuer à répondre à leurs questions, n'est-ce pas ?

Hewett fit un signe de tête négatif et Chandler quitta la salle en trombe.

Charlie Clapper m'appela en fin de journée pour m'informer qu'ils n'avaient trouvé aucun élément incriminant à bord du *Cecily*.

J'avais à peine raccroché que mon téléphone sonnait à nouveau.

— C'est à propos du surfeur de ce matin, fit la voix de Claire.

— Je t'écoute.

— D'après le légiste de Monterey County, la mort est dûe à un choc au niveau du crâne. La blessure aurait été provoquée par sa planche, retrouvée à proximité du corps. Des témoins l'ont vu partir à l'eau sur cette même planche.

— C'était un accident...

— Exact, Lindsay. Mort accidentelle.

Cette prétendue carte portant l'inscription 613 était donc une invention tout droit sortie du cerveau malade du type qui avait appelé la police.

70.

J'avais désespérément besoin de rigoler un peu, ou mieux, de m'offrir une soirée entière de fous rires.

C'est pourquoi je décidai d'organiser au pied levé une réunion du Women's Murder Club au MacBain's Beers o' the World Saloon, un pub situé à deux rues du palais de justice.

Une heure après avoir lancé ma fusée de détresse, je grimpai l'escalier en bois menant à la petite salle du fond, avec ses deux tables et son unique fenêtre, où le capitaine MacBain comptait autrefois la recette du jour. Cindy et Claire avaient déjà presque fini leur premier pichet de bière, et il ne restait qu'un fond de margarita dans le verre de Yuki.

J'aurais largement pu descendre un pichet de bière à moi toute seule, mais le petit drôle caché sous ma veste me l'interdisait formellement.

Claire tapota la chaise à côté d'elle pour m'inviter à m'asseoir.

Yuki m'adressa un sourire :

— J'étais en train de parler de Brian McInerny.

— Le comique ?

— Oui. Il a lancé une poursuite contre un employé des transports en commun qui l'a frappé. Il le méritait, mais bon, j'ai accepté de déposer sa plainte. Le problème, avec McInerny, c'est qu'une fois sur deux il répond aux questions avec la voix de son alter ego. Un truc de dingue !

— J'ai déjà vu son numéro, intervint Cindy. Il a un jumeau imaginaire, c'est ça ?

— Exactement. Et je vous assure que c'est plus facile de le laisser faire que d'essayer de l'en empêcher.

Je passai commande auprès de la serveuse et Yuki poursuivit.

— Vous savez que pendant une déposition, lorsque quelqu'un souhaite faire une pause, la personne qui est chargée de filmer doit annoncer l'heure de l'arrêt et celle de la reprise. Je ne vous raconte pas le nombre de pauses qu'on a dû faire !

» D'abord, il n'aimait pas ce qu'on lui avait servi – il a fallu qu'il commande un plat dans son restaurant préféré ! Après ça, il a tenu à s'entretenir en aparté avec son double, et comme si ça ne suffisait pas, il s'est mis à faire un autre truc super bizarre.

» Au moment de reprendre, il a fait semblant d'être au milieu d'une conversation et il a sorti : « C'est la blague la plus salace que j'aie jamais entendue ! »

Yuki nous mima la tête qu'elle avait faite à ce moment-là et nous partîmes dans un fou rire général.

— Une autre fois, il a regardé la vidéographe droit dans les yeux et il lui a demandé : « Dites, vous ne seriez pas en train de me draguer, là ? » On a dû faire une pause de cinq minutes – elle riait tellement qu'elle en avait les larmes aux yeux !

Si je ris de bon cœur en écoutant l'histoire de Yuki, l'instant d'après, mon esprit dut s'égarer car je me rendis compte au bout d'un moment que les filles me dévisageaient d'un air perplexe.

— Quelque chose ne va pas, Lindsay ? me demanda Yuki.

— Non. La journée a été longue, mais ça va.

— Je sais reconnaître quand tu es fatiguée, Lindsay. Là, c'est différent. On croirait que tu reviens d'un séjour en enfer.

— Yuki a raison, lança Cindy. Tu es malade ? Tu couves peut-être quelque chose.

La serveuse déposa sur la table un nouveau pichet de bière et une bouteille de soda.

— Joe a une liaison, soufflai-je à mes amies lorsqu'elle se fut éloignée.

71.

Je me servis un verre de soda d'une main tremblante. Pendant un long moment on n'entendit plus que le bruit des glaçons, puis toutes mes amies se mirent à parler en même temps :

— Tu te trompes, tonna Claire. Joe ne te ferait jamais ça.

— C'est impossible ! renchérit Cindy.

Yuki, elle, me croyait. Dardant sur moi un regard chargé d'intensité, elle me mitrailla de questions :

— Avec qui ?

— Elle s'appelle June Freundorfer. C'était sa coéquipière à l'époque où il travaillait à Washington.

— Quel âge a-t-elle ?

— Mon âge.

— Comment as-tu découvert leur liaison ?

— Quelle importance ?

— C'est lui qui t'en a parlé ?

— Non, c'est elle.

— Elle t'a appelée ? s'écria Yuki, éberluée.

— Elle a appelé Joe et c'est moi qui ai décroché.

Claire se leva pour me serrer dans ses bras et les larmes jaillirent de mes yeux. Yuki reprit son interrogatoire comme si de rien n'était, ignorant Claire qui la fusillait du regard.

— Tu as questionné Joe ?

— Ou-oui.

— Et il a avoué ?

Je fis non de la tête.

Cindy se pencha pour prendre mes mains dans les siennes.

— Donc, si je comprends bien, il nie, fit Yuki.

— Oui. Il me ment, et c'est pour ça que je l'ai foutu à la porte.

— Que t'a-t-elle dit, cette femme ? demanda Claire d'une voix douce.

Je secouai la tête, incapable d'articuler le moindre mot.

Cindy me lâcha les mains et me tendit une pile de serviettes en papier estampillées du logo du MacBain's – la planète Terre tournoyant sur fond de ciel ambré.

Je me remis à sangloter de plus belle sans pouvoir m'arrêter. Je me sentais à la fois honteuse et pitoyable.

— Tu crois que c'est une histoire sérieuse, Lindsay ? fit Yuki en me secouant le bras. Ils ont peut-être eu une aventure d'un soir, quelque chose que tu pourrais lui pardonner.

Pendant ce temps, Cindy avait tapé « Freundorfer » sur son iPad. La tablette affichait la photo de Joe au bras de sa maîtresse qui le dévorait des yeux.

— Mon Dieu, s'écria Yuki. Oh, Lindsay. Ça me rend malade de voir ça.

Mes larmes coulèrent de plus belle, et nous fûmes bientôt quatre à pleurer. Même si je me sentais moins seule dans mon malheur, il n'en restait pas moins que Joe avait une liaison et que mon bébé et moi nous retrouvions seuls. J'avais envie de mourir. Avant que je n'aie eu l'opportunité de noyer mon chagrin dans mon soda, la sonnerie de mon téléphone retentit.

Joe ?

Non. C'était Brady. Il était avec Conklin.

J'embrassai mes amies et quittai la salle au plus vite.

72.

Je garai mon Explorer derrière la voiture banalisée de Brady, sur Ivy Street, dans le quartier de Hayes Valley. C'était une petite rue résidentielle bordée d'arbres où les bâtiments s'alignaient comme dans un jeu de cubes.

Jacobi habitait une maison à bardeaux peinte en marron située à l'extrémité de la rue, et, bien qu'il possédât un garage qui occupait tout le rez-de-chaussée, son SUV Hyundai noir était garé le long du trottoir. Comme la moitié des flics de Californie, il conduisait un SUV noir.

Brady et Conklin sortirent de leur voiture et Conklin s'installa sur le siège passager à côté de moi.

— Une équipe l'a surveillé toute la journée, m'informa Brady, penché à la fenêtre. Il est rentré chez lui il y a environ une heure. Les lumières sont allumées. Il va probablement passer la nuit ici.

— J'en déduis que vous ne l'avez pas surpris en train d'assassiner qui que ce soit ?

Brady ignora ma remarque et ajouta :

— Vous allez planquer pendant quatre heures. Une équipe des stups viendra prendre la relève. Prévenez-moi s'il quitte son domicile.

— Bien, *chef* !

J'observai Brady rentrer dans sa voiture puis sortis mon téléphone. Joe m'avait laissé trois messages que je ne pris même pas la peine d'écouter. J'appelai Karen pour lui demander d'aller s'occuper de Martha puis me laissai aller contre le dossier de mon siège en soupirant.

— Alors, tu vas enfin me parler de ce qui te prend la tête ? fit Conklin. Je te préviens, je ne te lâcherai pas tant que tu n'auras pas craché le morceau !

J'avais encore l'esprit chauffé à blanc à cause de mes hormones en ébullition et de la journée de merde que je venais de passer.

— Tu as déjà trompé Cindy ?

Mon coéquipier me considéra fixement, bouche bée. Son visage affichait une expression que je ne lui avais encore jamais vue, où se mêlaient le choc et la déception.

— Pourquoi cette question ? C'est ce qu'elle pense ? Elle me soupçonne de coucher avec quelqu'un d'autre ?

— Non, pas du tout. Alors, tu l'as déjà trompée ?

— Bien sûr que non, enfin ! Tu me prends pour qui ? C'est pour ça que tu tires la tronche depuis ce matin ?

Il détourna les yeux et son regard se dirigea vers la fenêtre. J'entendis toquer contre ma vitre.

Je tournai la tête et me retrouvai face au visage renfrogné de Jacobi. Il savait que nous n'étions pas garés dans sa rue par hasard.

Il me fit signe de baisser ma vitre et je m'exécutai.

— Jacobi...

— Comme c'est gentil à vous de me rendre visite... C'est bien de ça qu'il s'agit, n'est-ce pas ? Mes deux vieux amis qui prennent le temps de venir me faire un petit coucou !

— On est en planque... bredouillai-je.

— Vous me surveillez !

Je baissai la tête, morte de honte.

— Tu me soupçonnes d'être le Vengeur ? C'est ça, Boxer ? Je n'entends pas parler de toi pendant des mois et d'un seul coup : « J'aimerais te parler de mes enquêtes, Warren. On peut se voir ? »

» Je ne sais pas combien de milliers d'heures j'ai passées à bosser avec toi ! Combien de fois j'ai placé ma vie entre tes mains, et vice versa ? (Il s'interrompit, nous observa à tour de rôle puis ses yeux cernés se posèrent sur moi.) Vous me dégoûtez !

— Je suis désolée, Jacobi !

— Monsieur Jacobi. Désormais, ce sera *monsieur* Jacobi.

Il fit demi-tour et s'éloigna d'un pas raide. Le silence qui venait de retomber dans l'habitacle était assourdissant.

— Je vais le rattraper, fit Conklin.

— O.K. Je te rejoins dans une minute.

J'appelai aussitôt Brady.

— Jacobi est sorti ? me demanda-t-il.

— Il nous a repérés, Brady. Il nous a repérés et il est venu nous passer un savon.

73.

Conklin regagna l'appartement qu'il partageait avec Cindy. Seule l'ampoule de la cuisine brillait, ce qui signifiait que Cindy avait travaillé pendant plusieurs heures et ne s'était pas relevée pour allumer les autres lumières.

Il déposa ses clés sur le meuble de l'entrée et appela :

— Chérie, c'est moi !

— 'lut.

Il accrocha sa veste et son arme au portemanteau et se rendit dans la cuisine. Cindy était assise à la table, exactement comme il l'avait imaginée.

Penchée au-dessus de son ordinateur portable, les yeux dissimulés par les boucles blondes qui lui tombaient de chaque côté du visage, ses doigts dansaient sur le clavier. Elle s'interrompit, tendit la joue pour recevoir un baiser, puis demanda :

— Ça va ?

— J'ai passé un journée horrible, mais à part ça, oui.

— Quelqu'un est mort ?

— Non.

— Une fusillade ?

Il éclata de rire :

— Il faut obligatoirement se retrouver au milieu d'une fusillade pour prétendre avoir passé une mauvaise journée ?

— Alors je préfère que tu m'en parles plus tard, Richie. J'ai encore pas mal de boulot.

— Vas-y. On discutera dans le lit.

Conklin ouvrit le frigo, sortit un plat surgelé qu'il plaça dans le micro-ondes et alla se doucher pendant que le four transformait le contenu de la barquette en un semblant de repas chaud.

Rien de tel qu'une bonne séance d'hydrothérapie pour conclure une journée de travail. Il repensa à Jacobi lui ordonnant de dégager de devant chez lui, sans quoi il tirerait à travers la porte.

Cette scène avait été suivie par l'arrivée de Brady, qui les avait copieusement engueulés, Lindsay et lui, leur reprochant d'avoir tout fait foirer. Il les avait exclus de la mission de surveillance.

Il songea ensuite à Lindsay, qui l'avait injustement accusé de tromper Cindy.

De retour dans la cuisine, il ôta le film plastique qui recouvrait la barquette de son plat surgelé et se tourna vers Cindy :

— Tu travailles sur quoi ?

— Le site du *Chronicle*. Ils m'ont confié la gestion d'un blog.

— Ah oui ?

— On reçoit des tonnes de courrier concernant le Vengeur. Tu n'as pas des infos à me communiquer ?

— Rien de rien. Le néant absolu.

— O.K., fit Cindy en tapant sur son clavier.

— Merci de ne pas me citer, Cin'. Je ne suis pas en service.

— Bien.

Conklin s'installa à table et mangea en silence. Il descendit un demi-litre de Pepsi et termina son repas en engloutissant une tonne de glace au chocolat.

Tout en raclant le fond de la boîte avec sa cuillère, il observa Cindy. Une bombe aurait pu exploser dans la rue qu'elle n'aurait même pas décollé les yeux de son écran.

Il quitta sa chaise, s'approcha d'elle et lui caressa les cheveux.

— J'ai presque fini, dit-elle.

Conklin alla se coucher. Il somnolait déjà lorsque Cindy entra dans la chambre. Elle se déshabilla dans le noir et se glissa sous les draps sans le toucher.

Sa respiration se ralentit et se fit plus profonde.

— Cindy ?

— Mmmmm-hummm, marmonna-t-elle.

74.

Le coup de fil de Cindy me tira d'un profond sommeil.

— Désolée de te réveiller, Linds. Je sais qu'il est tôt, mais je voulais te choper avant que tu partes. Tu pourrais nous retrouver, Richie et moi, pour boire un café ?

— O.K., répondis-je.

Nous convînmes d'un rendez-vous, puis je traînai au lit une vingtaine de minutes avec Martha. L'absence de Joe me fit l'effet d'une blessure mordante, et je songeai aux relations que j'avais saccagées au cours des vingt-quatre dernières heures.

L'invitation de Cindy était sûrement liée aux questions que j'avais posées à Rich la veille, pour savoir s'il avait déjà été infidèle. Je leur devais des excuses à tous les deux.

Je les retrouvai au Old Jerusalem, un café sur Irving Street qui proposait un grand choix d'arabicas et de thés ainsi que de succulentes pâtisseries méditerranéennes. M. Conklin et la future Mme Conklin m'attendaient à une table.

— Salut, lançai-je en m'installant sur une chaise face à eux.

Je commandai un café turc et me préparai mentalement à une pénible confrontation. J'espérais pouvoir la gérer sans trop de heurts.

Rich se passa la main dans les cheveux et plongea son regard dans le mien :

— Cindy m'a raconté... pour Joe.
Je baissai les yeux et hochai lentement la tête.
— Tu t'en remettras, ajouta-t-il. Tu verras.
— Je suis désolée pour ce que je t'ai dit hier, Rich.
— Ce n'est rien. Ne t'en fais pas. Cindy a quelque chose d'intéressant pour nous.
Je relevai la tête et l'observai d'un air interrogateur.
— Tu vas voir, fit Cindy.
Elle sortit son iPad de son sac à main. La serveuse apporta mon café et j'y versai une bonne dose de sucre et de crème.
Cindy tourna la tablette vers moi :
— C'est de la numérologie, me dit-elle en me montrant l'équation suivante :

$$104 = 5$$

— En numérologie, on additionne les chiffres entre eux. Un plus zéro égale un. Un plus quatre égale cinq.
— O.K.
— Bien. Passons au 613.

$$613 = 10 = 1$$

— Je saisis. Six plus un égale sept, et sept plus trois égale dix.
— Exactement. Ensuite, il faut réduire le dix en additionnant un et zéro, ce qui nous donne un.
— Et après ?
— Maintenant, on additionne les deux réductions.

$$5 + 1 = 6$$

J'attendis la fin du roulement de tambour et le coup de cymbale.

— Et alors ?

— Six comme le 6, Ellsworth Place.

Je pris une profonde inspiration. Cindy faisait référence à l'un des quatre bâtiments en brique adjacents à l'habitation principale.

— Nous n'avons pas eu de mandat pour perquisitionner le numéro 6.

— Cindy en a parlé à Yuki, intervint Rich. Elle pense pouvoir faire valoir le fait que les bâtiments en question font partie d'une seule et même propriété et qu'ils auraient dû être inclus dans le mandat de perquisition.

— Je viens avec vous ! s'écria Cindy.

— Non ! lançâmes Rich et moi à l'unisson.

— Si ! Lindsay, tu m'avais confié cette énigme et je pense avoir la solution. Alors soit vous acceptez que je vous accompagne, soit je me fâche avec vous deux jusqu'à la fin de ma vie !

75.

J'avais pris place sur une chaise dans le bureau de Yuki, au troisième étage du palais de justice.

Mon amie plaqua ses cheveux noirs derrière ses oreilles et entreprit de passer plusieurs coups de téléphone, un parcours semé d'embûches pour parvenir à joindre le juge Stephen Rubenstein.

Yuki lui expliqua la situation de façon aussi concise et précise que possible. Un nouvel élément venait de surgir dans l'enquête et rendait nécessaire la délivrance d'un mandat de perquisition pour un bâtiment attenant à l'habitation principale d'Ellsworth. Elle ajouta que ce bâtiment n'avait pas été désigné sur le mandat délivré en premier lieu parce que les autorités compétentes n'avaient pas vu que les deux bâtiments faisaient partie de la même propriété.

Yuki se tut, écouta un instant son interlocuteur, reprit la parole en s'excusant, puis écouta à nouveau.

Elle me fit signe d'avancer, puis approcha son visage du mien pour que j'entende ce que lui disait le juge.

— Si je comprends bien, vous voulez que je vous délivre un nouveau mandat de perquisition sur la base d'un élément qui vous a été transmis de façon anonyme et dont vous ne pouvez pas vraiment me parler. Vous pensez que ça suffit pour que j'autorise la police à aller fouiller un bâtiment qui n'est même pas la scène de crime à proprement parler ?

— C'est tout à fait ça, Votre Honneur. La résidence Ellsworth est composée de plusieurs bâtiments qui appartiennent à une seule et même personne, et le numéro 6 est situé à seulement quelques mètres de la scène de crime.

— Et quelle différence, mademoiselle Castellano ? Je vous suggère de relire le quatrième amendement, et notamment le passage où il est question des perquisitions abusives. Il est impossible de délivrer un mandat sans motif valable.

— Très bien, Votre Honneur. Merci quand même.

Yuki reposa le combiné et se tourna vers moi :

— Peut-être que si je lui avais parlé de la numérologie, ça aurait plaidé en notre faveur.

— On ne saura jamais.

— Désolée, Linds, fit Yuki en riant.

Si je voulais m'introduire au 6, Ellsworth Place – et j'y tenais absolument –, il ne me restait plus qu'à en demander l'autorisation à Harry Chandler.

J'empruntai le téléphone de Yuki. Il décrocha au bout de la deuxième sonnerie. Sans aller jusqu'à le supplier, je fis en sorte de me montrer extrêmement gentille.

— Et pourquoi je vous donnerais mon autorisation ? fit Chandler après m'avoir écoutée.

— Écoutez, monsieur Chandler, ces crânes n'ont pas été enterrés dans votre jardin par hasard. Il est clair que quelqu'un cherche à vous faire accuser de meurtre, mais tant que nous n'avons pas découvert qui est cette personne, comprenez que vous restez notre principal suspect.

76.

La bruine faisait frisotter mes cheveux tandis que Conklin, Cindy et moi nous dirigions vers Ellsworth Place serrés les uns contre les autres. C'était une petite rue étroite, assez romantique, et qui avait ceci d'étonnant qu'elle reliait Pierce Street à Green Street en formant un triangle rectangle.

Le côté ouest était bordé de maisons récentes et de styles variés. En face, les bâtiments qui faisaient partie de la propriété d'Ellsworth étaient construits en brique. Dénués de fioritures, ils avaient été construits pour loger les domestiques en même temps que la demeure principale, à la fin des années 1890. J'entendais presque résonner sur les pavés les sabots des chevaux tirant des carrioles.

Pendant que j'observais les alentours, Conklin aida Cindy à attacher son gilet pare-balles, par-dessus lequel elle enfila un coupe-vent du SFPD.

J'attendis qu'elle ait fini de se préparer puis lui fis un bref résumé des informations dont nous disposions :

— Nicole Worley, la fille de la gardienne, habite au numéro 2. Elle a une vingtaine d'années et elle travaille pour l'association Fish & Wildlife. Elle vit ici pour pouvoir veiller sur ses parents. T. Lawrence Oliver, le chauffeur de Chandler, habite au numéro 4. Il est logé gratuitement. Les numéros 6 et 8 sont actuellement vides.

— Seule l'un de ces bâtiments dispose d'une fenêtre donnant sur le jardin, ajouta Conklin. Le numéro 6. La première fois que je me suis rendu dans le jardin, Nicole Worley m'a expliqué que l'entrée était condamnée. Si les lieux sont occupés par un squatteur, il se pourrait que cette personne soit mêlée à l'affaire.

La bruine laissa soudain place à une averse.

Nous discutâmes pour définir le rôle de chacun. Conklin demanda à Cindy de retourner dans la voiture en attendant que nous ayons exploré le bâtiment. Elle s'exécuta à contrecœur, puis Conklin et moi gravîmes l'escalier menant à la porte d'entrée.

Je frappai trois coups, Conklin lança un « Police, ouvrez ! », puis je toquai à nouveau, cette fois à l'aide du heurtoir en cuivre. Aucune réponse. Conklin tenta d'actionner la poignée mais elle ne bougea pas. La porte était peut-être verrouillée de l'intérieur.

Après avoir échangé quelques mots avec Cindy par la fenêtre de la voiture, nous nous dirigeâmes vers le jardin en nous frayant un chemin à travers les herbes hautes et les chardons qui avaient poussé entre le numéro 4 et le numéro 6.

L'arrière des bâtiments possédait un aspect menaçant. Les murs aveugles étaient percés d'une seule et unique porte à laquelle on accédait par une volée de marches. À quelques mètres seulement s'élevait le mur en brique haut de trois mètres qui masquait la vue sur le jardin.

Les portes des numéros 6 et 8 étaient condamnées, mais, en me rapprochant du 6, je remarquai que les herbes avaient été rabattues au bas des marches. En observant un peu, je me rendis compte que la planche de contreplaqué n'était pas clouée à l'encadrement de la porte, mais simplement appuyée dessus.

— Quelqu'un est entré ici récemment, fis-je à mon coéquipier.

Conklin grimpa les marches, ôta la planche et frappa à la porte :

— Police ! Ouvrez immédiatement !

77.

À peine Conklin avait-il forcé la porte que j'entendis les herbes hautes bruisser derrière moi. Je me retournai vivement et me retrouvai nez à nez avec Cindy, le visage dégoulinant de pluie.

— J'ai besoin d'être avec vous sur place. Il me faut de la matière pour écrire mon article et ce n'est pas en restant dans la voiture que je la trouverai.

— La perquisition ne donnera peut-être rien, grognai-je. O.K., tu as résolu le mystère du Da Vinci code, mais il est possible que cette maison soit tout simplement vide et...

— Je sais.

— ... ça peut aussi être dangereux.

— Je ferai attention.

— Qui sait si on ne va pas tomber sur des camés.

— Ce ne serait pas la première fois que je me retrouverais dans un squat. Et puis vous êtes armés.

Je cherchai vainement un peu de soutien auprès de mon coéquipier :

— Dis-lui, Rich.

— Je n'essaie même pas ! lâcha-t-il en levant les mains.

— S'il t'arrive quoi que ce soit, on risque de se faire virer, Rich et moi. Et pour le coup, ce n'est plus toi qui nous détesteras, c'est nous qui te détesterons.

— Arrête ton char, Lindsay, fit Cindy en rigolant.

C'était du Cindy tout craché : elle ne portait pas de flingue, n'avait suivi aucun entraînement spécifique et ne bénéficiait d'aucun statut officiel, et pourtant, le seul moyen de l'arrêter aurait été de placer un éléphant en travers de sa route.

J'étais sérieuse à propos des éventuelles conséquences dramatiques, mais je me retrouvais à court d'arguments. Conklin dégaina son arme et franchit le seuil de la porte. Je laissai Cindy lui emboîter le pas et fermai la marche.

Le couloir n'était éclairé que par la faible lueur provenant de la porte arrière entrouverte. Devant nous se dressait un étroit escalier en bois ; le premier étage était plongé dans l'obscurité la plus complète.

Conklin et moi allumâmes nos lampes torche. L'escalier était propre, sans odeur ; aucun graffiti sur les murs, pas de vêtements ni de vieilles seringues qui traînaient par terre. Pour tout dire, l'endroit semblait avoir été nettoyé récemment.

Nous poursuivîmes notre ascension, et, en arrivant au troisième étage, je distinguai un léger bruit, presque imperceptible.

— C'est quoi, ça ? murmurai-je.

— La *Sixième Symphonie* de Beethov', souffla Cindy.

— Comment tu peux en être sûre ?

— C'est la *Sixième*, je te dis... Encore un six ! Et je crois que cette symphonie évoque la vie à la campagne, dans les jardins.

— Maintenant, chut ! Il faut rester vigilant.

Plus nous grimpions, plus le son de la musique s'amplifiait. Parvenus au sixième étage, nous observâmes les trois portes qui s'alignaient sur le palier.

L'une d'elles portait la lettre E., une autre la lettre S., et la troisième l'inscription TOILETTES.

Une feuille de papier était scotchée sous la lettre S. Conklin y dirigea le faisceau de sa lampe. « Génie à l'œuvre. Ne pas déranger. »

78.

J'ai beau ne pas être superstitieuse, je trouvais qu'il y avait tout de même beaucoup de six dans cette histoire. Le sixième étage du 6, Ellsworth Place. La *Sixième Symphonie* de Beethoven.

Le nombre 666 n'avait rien d'un porte-bonheur... Quel cauchemar se cachait-il derrière cette porte ? Et qui était donc ce mystérieux « Génie à l'œuvre » ?

Je fis passer Cindy derrière moi tandis que Conklin frappait à la porte :

— Police ! Ouvrez !

La musique s'éteignit, puis nous entendîmes des pas lourds qui se rapprochaient. Un œil sombre se glissa derrière le judas.

Il y eut le cliquetis d'une chaîne, le bouton de la porte tourna et une femme blanche de grande taille – environ un mètre quatre-vingt-dix – apparut devant nous. Apparemment non armée, elle portait une longue robe en velours noir et un pull gris à manches chauve-souris. Ses cheveux d'un blond cendré étaient noués en un chignon haut et elle arborait un large sourire.

— Oh, bonjour ! Je sais qui vous êtes. Je m'appelle Connie Kerr. Entrez.

Je n'en croyais pas mes yeux. Je connaissais cette femme. Pas personnellement, mais une vingtaine d'années plus tôt, Constance Kerr avait rencontré un certain succès sur le circuit professionnel de tennis. C'était, à l'époque, une joueuse à la silhouette dégingandée dotée d'un service puissant et d'une grande rapidité de déplacement.

Conklin fit les présentations, mais sans préciser le rôle joué par Cindy. Nous entrâmes chez Constance Kerr.

Elle vivait dans une mansarde nichée sous le toit de la bâtisse victorienne. Les murs se coupaient en formant des angles bizarres ; une kitchenette et un placard avaient été aménagés dans la pièce, qui ne mesurait pas plus de trois mètres sur quatre. Un lit escamotable était rabattu contre le mur le plus long. Installé sous l'unique fenêtre, un bureau accueillait un ordinateur portable ; une pile de boîtes à archives haute d'un bon mètre était posée sur le sol.

Une épaisse couverture grise faisait office de rideau, bloquant en grande partie la lumière.

Je l'écartai afin de laisser passer un peu de clarté.

Depuis la fenêtre, je voyais le jardin et l'arrière de la demeure principale d'Ellsworth, y compris la porte de la cuisine qui donnait sur le patio où, six jours plus tôt, j'avais découvert les deux crânes mis en scène comme dans un monstrueux projet artistique.

— J'ai observé votre travail sur la scène de crime, expliquait à Conklin l'ancienne star du tennis. Ça m'a beaucoup plu. Je sais que vous essayez d'aider Harry.

On avait tout juste la place de se mouvoir dans le studio de Connie Kerr, pourtant elle se donnait des airs de douairière qui aurait invité ses amies à boire le thé.

— Désirez-vous des rafraîchissements ? demanda-t-elle.

79.

Nous déclinâmes son offre et prîmes place chacun dans un coin de la pièce.

Je m'appuyai contre le comptoir de la kitchenette, Cindy s'installa sur l'unique chaise et Conklin choisit de s'adosser à la porte. Connie Kerr, elle, resta plantée comme un drapeau au milieu de la pièce.

— En quoi puis-je vous aider ? s'enquit-elle.

— Comment se fait-il que vous connaissiez Harry Chandler ? demandai-je.

— Harry ? Eh bien, nous sommes sortis ensemble autrefois. C'était une star et j'étais aveuglée par son aura, fit-elle en riant. Mais je me suis beaucoup amusée et je ne regrette rien.

— Quand l'avez-vous vu pour la dernière fois ?

— J'ai oublié la date exacte, mais ça fait au moins vingt ans.

— Harry vous laisse vivre ici ?

— Il l'ignore, mais je suis certaine qu'il n'y verrait aucun inconvénient. Je ne gêne personne, vous savez. Je suis comme une petite souris. (Elle partit d'un nouvel éclat de rire, un rire strident et hystérique.) Je travaille actuellement sur mon prochain livre. J'ai déjà écrit dix romans et je viens d'en commencer un nouveau. Ce sont des thrillers. Des histoires de meurtre.

— Vous écrivez sous votre vrai nom ? intervint Cindy.

— Cindy, c'est bien ça ? Pour vous répondre, Cindy, j'utiliserai mon vrai nom quand je serai publiée. L'histoire sur laquelle je planche en ce moment pourrait vraiment intéresser un éditeur.

Connie Kerr nous embarqua pour une visite de son univers imaginaire. Elle nous montra des schémas qu'elle avait tracés sur du papier marron de boucher scotché au mur afin de bâtir son intrigue – laquelle s'avérait plutôt bancale.

Elle nous parla de ses personnages à grand renfort de gestes et de pirouettes, portant à sa poitrine ses deux mains jointes comme si elle était encore une enfant et non une femme de cinquante ans qui squattait les combles d'un immeuble abandonné.

Cette excentrique écrivaine avait-elle été témoin d'un crime depuis sa fenêtre, ou bien avait-elle franchi un cap en commettant des meurtres au lieu de simplement les inventer ?

— Que pouvez-vous nous dire au sujet des crânes découverts dans le jardin ? demandai-je.

— Je sais qu'ils constituent une incroyable énigme, répondit-elle avec un grand sourire. Et j'adore ça, moi, les énigmes, ajouta-t-elle en applaudissant.

— Pas nous, asséna Conklin d'un ton glacial. Voilà ce qui va se passer, madame Kerr. Vous allez nous accompagner au palais de justice afin que nous puissions enregistrer votre déposition de manière officielle.

Le sourire radieux de Kerr s'évanouit aussitôt :

— Je ne peux pas quitter mon appartement. C'est impossible. Je ne sors jamais.

— Vous n'allez jamais dehors ? s'étonna Conklin.

Kerr secoua la tête.

— Comment faites-vous pour vous ravitailler ?

— Une personne m'apporte ce dont j'ai besoin. Elle dépose les courses en bas de l'escalier.

— Qui est cette personne ?

— Je n'ai pas à vous le dire.

— Laissez-moi reformuler la question, intervins-je. Cette amie peut-elle répondre de votre emploi du temps du week-end dernier ?

— Vous ne comprenez pas. Je vis seule. Je ne vois jamais personne. Vous êtes les premiers invités que j'aie jamais reçus ici.

— Nous enquêtons sur la mort de sept personnes, madame Kerr, reprit Conklin. Il ne s'agit pas d'une fiction. C'est la stricte réalité. Et je pense que vous savez ce qui leur est arrivé.

— Je n'ai rien fait. Je n'ai rien vu. Comment vous l'expliquer ? Je suis vraiment la dernière personne que vous devriez soupçonner, monsieur Conklin.

— Vous avez un manteau ? lança Conklin.

— Un manteau ?

— Tenez, fit-il en ôtant sa veste pour la mettre sur les épaules de Kerr. Il pleut dehors.

80.

Constance Kerr avait pris place à la table de la salle d'interrogatoire. Bras croisés contre la poitrine, elle semblait tendue ; on aurait cru un chat pris au piège qui n'attendait qu'une seule chose : voir la porte s'ouvrir pour prendre la poudre d'escampette.

Nous savions très peu de choses la concernant. Elle qui vivait recluse depuis de nombreuses années, quel genre de personne était-elle devenue durant ce laps de temps ? Une folle bonne pour l'internement ? Une tueuse en série ? Un simple témoin dans le cadre de notre enquête ?

J'étais certaine qu'elle mentait lorsqu'elle prétendait ne rien savoir des crimes perpétrés à Ellsworth, et nous allions essayer de la garder avec nous tant qu'elle ne nous aurait pas fourni des réponses crédibles.

Conklin avait réussi à établir un bon contact avec Kerr, et je décidai de le laisser mener l'interrogatoire sans intervenir. Mon coéquipier n'était pas seulement un bon flic, c'était aussi un type bien.

— Regardez-moi, Connie. Je suis certain que vous avez à cœur de nous aider à découvrir qui est l'auteur de ces crimes affreux.

— J'aimerais vous aider, mais je vous assure que c'est seulement en voyant la police dans le jardin que j'ai compris qu'il s'était passé quelque chose de grave. Par la suite, j'ai lu sur Internet un article qui parlait des cartes retrouvées à proximité des crânes, et j'ai été frappée par le nombre 613.

— Est-ce vous qui avez inscrit ce nombre sur la carte, Connie ? Si c'est le cas, j'aimerais vraiment savoir ce qu'il signifie.

— Non, ce n'est pas moi. Mais 613 correspond presque au record du plus grand nombre de meurtres jamais commis par un tueur en série. En l'occurrence, Elizabeth Báthory, la dame sanglante de Čachtice, qui a massacré plus de six cents filles dans son château en Hongrie au début du XVIIe siècle. Mais le nombre exact est incertain...

— Intéressant, mais je pense que ces meurtres commis il y a quatre siècles ne nous concernent pas dans le cadre de notre enquête, fit Conklin en ponctuant sa phrase d'un grand sourire.

— Non, vraiment, reprit Kerr avec sérieux. C'est peut-être l'indice qui permettra de tout débloquer.

J'avais peine à évaluer l'état de santé mentale de Kerr. Était-elle réellement cinglée, ou bien cherchait-elle à nous le faire croire ? Je devais à tout prix trancher la question.

J'expliquai à Conklin que je devais m'absenter quelques minutes, et, une fois sortie de la salle, je contactai le docteur Frank Cisco. Il répondit aussitôt ; par chance, il se trouvait dans l'immeuble et, quelques minutes plus tard, nous nous retrouvâmes dans la cage d'escalier.

Cisco était un psychologue auquel le SFPD et le bureau du district attorney faisaient parfois appel. Homme de grande taille aux épais cheveux blancs, il portait ce jour-là un blouson à carreaux, un pantalon gris en toile et des chaussures roses.

Frank Cisco était quelqu'un de très doux auquel il semblait possible de se livrer en toute confiance. Il m'étreignit chaleureusement.

— Quoi de neuf, Lindsay ?

— Pas mal de choses.

Quelques jours plus tôt, j'avais appelé Cisco pour lui demander d'examiner notre liste de policiers considérés comme de possibles suspects dans l'affaire du Vengeur. Je n'attendais pas de lui qu'il me révèle des informations détenues sous le sceau du secret professionnel, mais simplement qu'il m'indique lesquels étaient susceptibles d'être rentrés dans une spirale meurtrière.

Il m'avait répondu qu'il serait contraire à son éthique de désigner des personnes à partir d'une simple intuition, et j'avais tout à fait compris sa position.

— Ne vous inquiétez pas, Frank, ce n'est pas pour l'affaire du Vengeur que je fais appel à vous aujourd'hui. J'ai besoin de votre aide sur une autre enquête.

Il eut l'air soulagé, et tandis que nous nous dirigions vers la salle d'interrogatoire, je lui exposai le peu d'éléments dont je disposais concernant Constance Kerr.

81.

Je toquai à la porte, et lorsque Conklin sortit dans le couloir, je lui demandai de reprendre l'interrogatoire de zéro afin de permettre à Frank de se faire une idée précise du personnage.

Frank et moi nous rendîmes dans la salle d'observation.

— Quand pourrai-je rentrer chez moi ? demanda Connie à Conklin.

— Je veux d'abord m'assurer d'avoir bien compris tout ce que vous m'avez expliqué.

Kerr recommença son récit, mais, cette fois, elle ajouta de nouveaux détails concernant la matinée où les crânes avaient été découverts. Elle évoqua son rituel du lever et ses petites habitudes – la manière dont elle avait replié son lit contre le mur, le thé de Mandchourie qu'elle s'était préparé – avant d'en venir au moment où elle avait entendu les sirènes et où elle s'était approchée de la fenêtre pour voir ce qui se passait.

À partir de cet instant, bizarrement, elle se mit à parler à la troisième personne :

— Elle a vu les gardiens et la police dans le jardin, près des crânes, et elle s'est dit : « Seigneur ! Aujourd'hui n'est pas un jour comme les autres. »

— Pourquoi faites-vous ça ? l'interrompit Conklin.

— Je vous demande pardon ?

— Qui est cette personne dont vous parlez ?

— J'essaie de raconter en me plaçant du point de vue d'Emma – vous savez, l'héroïne du roman que je suis en train d'écrire. Emma est une femme très perspicace, mais, naturellement, elle n'en sait pas plus que moi. D'ailleurs, j'aimerais beaucoup entendre votre avis sur toute cette affaire, inspecteur. Vous pourriez m'apporter beaucoup pour mon livre.

Je me tournai vers Frank :

— Qu'en pensez-vous ? Elle cherche à nous tromper ?

— Il est certain qu'elle joue un rôle, mais sa folie ne m'amène ni à la soupçonner ni à affirmer qu'elle est incapable de tuer. En me basant sur les dix minutes que j'ai passées à l'observer, j'ai l'impression qu'elle se donne beaucoup de mal pour dissimuler quelque chose. Il peut s'agir d'un élément lié à cette enquête ou d'autre chose, qu'elle tient à garder secret.

— Brillante analyse, Frank, fis-je en éclatant de rire. Merci beaucoup !

— Vous pensiez que j'allais percer le mystère de son cerveau malade en seulement dix minutes ? rétorqua-t-il en riant lui aussi.

De l'autre côté de la vitre sans tain, Conklin essayait encore de soutirer une information valable à Connie Kerr.

— Dites-moi, Connie, qui est cette personne qui vient vous ravitailler à domicile ?

— Aaaah…, soupira-t-elle d'un air théâtral. Est-ce un homme au douloureux passé ? Une maîtresse dont elle souhaite taire le nom ?

— Vous ne nous aidez pas, Connie.

— Je n'ai pas à vous confier tous mes secrets. Et je ne le ferai pas. Si je ne suis pas en état d'arrestation, j'aimerais rentrer chez moi. Vous n'avez pas le droit de me garder ici sans raison.

Conklin se renversa contre le dossier de sa chaise et, sans méchanceté aucune, déclara :

— Détrompez-vous, Connie. Je vous rappelle que vous êtes coupable de violation de domicile, de vol de services et d'entrave à la justice.

— Vous avez tort, s'écria Kerr en frappant du poing sur la table et en se penchant vers Conklin. Pour la violation de domicile et tout le reste. Ça fait des années que Tommy Oliver sait que je vis au numéro 6. Je suis certaine qu'il en a déjà parlé à Harry.

— Tommy Oliver ? Vous voulez parler de T. Lawrence Oliver, le chauffeur de Harry Chandler ?

— Lui-même. C'est lui qui m'a branché l'électricité et qui m'a installé les serrures.

— Très bien. Nous allons vous placer en garde à vue en tant que témoin principal, le temps de vérifier vos dires. La loi nous autorise à vous garder pendant quarante-huit heures.

— Vous ne pouvez pas faire ça !

— Au contraire. Et c'est d'ailleurs mon intention. Levez-vous, s'il vous plaît.

— J'exige de passer le coup de fil auquel j'ai droit.

— Aucun problème.

— Et je veux un avocat.

— Bien entendu. Au fait, je tiens à vous signaler que nous ne disposons pas de cellules individuelles, ce qui signifie que vous allez devoir partager la vôtre avec d'autres femmes. Si jamais il vous revenait en mémoire un élément important concernant le cimetière situé juste sous la fenêtre de votre appartement, merci de me le faire savoir, Connie. Je serai ravi de venir vous écouter.

82.

Conklin s'acquitta des formalités administratives avec Connie Kerr, et je proposai à Frank Cisco d'aller discuter en salle de pause autour d'une tasse de café réchauffé et de quelques cookies.

Nous restâmes seuls un moment, assis l'un en face de l'autre, et ce qui avait démarré comme une réunion de travail ressembla bientôt à une séance de psychothérapie. Cela devait être lié au fait qu'après les coups de feu que nous avions reçus, Jacobi et moi, j'avais été contrainte d'aller consulter Frank pendant plusieurs mois sous peine de perdre mon poste, le but étant d'évaluer mon état de santé mentale.

Cette décision m'avait rendue furieuse, mais même si je m'étais sentie insultée, ces séances m'avaient fait beaucoup de bien. Frank était un excellent thérapeute.

— Que se passe-t-il, Lindsay ? me demanda-t-il.

— Je suis enceinte.

— Félicitations !

— Merci.

Je baissai la tête. Je ne voulais pas lui dire que Joe m'avait trompée, que je l'avais mis à la porte, qu'en me noyant dans le travail je n'avais pas à réfléchir à l'avenir qui m'attendait, seule avec mon bébé.

— Votre visage exprime une réelle souffrance, Lindsay. Je me vois contraint de vous poser à nouveau la question. Que se passe-t-il ?

Il était doué, le bougre !

— Cette enquête est particulièrement délicate et difficile à gérer. Nous avons sept victimes dont les crânes ont été enterrés dans la propriété d'une star du cinéma et dont les corps restent à ce jour introuvables. On ne sait pas si elles ont été assassinées ou s'il s'agit d'une œuvre d'art conceptuelle d'un genre particulièrement macabre. On est dans le flou absolu.

» Et il y a autre chose d'étrange. Malgré tout le tapage médiatique que cette affaire a provoqué, personne n'est venu nous trouver pour demander si sa fille faisait partie de la liste des victimes.

— Étrange, en effet.

— Nous sommes déterminés à clore cette enquête, et je suis certaine que nous y parviendrons, mais l'affaire qui engendre le plus de pression en interne, c'est celle du Vengeur.

Frank laissa échapper un long soupir, se passa la main dans les cheveux et soupira à nouveau.

Sans me laisser décourager par son attitude, je le mis au courant des dernières activités du Vengeur.

— L'homme a récemment abattu trois dealers et...

— Il a mis le feu à leur voiture.

— Exact. Deux jours plus tard, il a descendu un autre trafiquant sur le parking d'un centre commercial.

— Oui, j'ai lu ça dans la presse. Vous êtes sûrs qu'il s'agit du même tueur ?

— Les analyses balistiques ont établi une correspondance avec une autre arme dérobée dans nos locaux. Et ce que vous n'avez pas lu dans la presse, c'est que Jackson Brady soupçonne Jacobi d'être le Vengeur.

— Sans blague ? Comment peut-il croire une chose pareille ?

— Conklin et moi avons été chargés de le surveiller. Le problème, c'est que Jacobi nous a surpris en train de planquer près de chez lui. Depuis, il me déteste, et nous ne sommes toujours pas près de coincer ce tueur – sans compter que ses récents succès ont dû le galvaniser et qu'il est sûrement sur le point de sévir à nouveau.

Frank me conseilla de ne pas me mettre trop de pression ; il ajouta que le stress était mauvais pour mon bébé.

— Vous devriez peut-être vous retirer de cette enquête.

— C'est impossible, Frank.

Il hocha la tête, me dit que je pouvais l'appeler jour et nuit si j'en éprouvais le besoin. Je le remerciai, puis il me demanda s'il pouvait utiliser l'ordinateur de mon bureau.

— J'attends un document qui doit me parvenir par e-mail. Il m'attend dans le « Cloud », mais je ne sais pas trop de quoi il s'agit.

— C'est le nom qu'on donne au serveur public, fis-je en souriant. Vous avez un code d'accès ?

— Oui. Je l'ai inscrit à l'intérieur de mon étui à lunettes.

— Suivez-moi.

Je laissai mon fauteuil à Frank et préparai du café pendant qu'il travaillait. Lorsqu'il eut terminé, je le raccompagnai à la porte et le remerciai de m'avoir aidée à appréhender la personnalité de Constance Kerr.

— Prenez soin de vous, Lindsay. Et comme je vous l'ai dit, n'hésitez surtout pas à m'appeler.

Il prit congé et je retournai devant mon ordinateur pour lire la tonne d'e-mails qui avaient dû arriver sur ma messagerie au cours des dernières heures.

Je touchai la souris et le moniteur s'alluma, mais au lieu de mon écran de veille habituel, je découvris un document que je n'avais encore jamais vu. Je mis un moment à me rendre compte qu'il s'agissait du dossier personnel d'un flic, un certain William Randall. Je connaissais son nom, mais je savais peu de choses à son sujet.

Frank Cisco, intentionnellement ou non, avait oublié de fermer ce document – ou bien Freud l'avait-il poussé à le laisser ouvert pour me permettre de le lire ?

Je sauvegardai le fichier sur mon disque dur et partis à la recherche de Conklin.

83.

— O.K., lança Brady. Dites-moi tout.

Nous étions installés dans son bureau, porte fermée et stores baissés. Je sentais Brady partagé entre une exaspération grandissante à notre égard et l'espoir de voir enfin l'enquête décoller.

— Comment avez-vous entendu parler de Randall ?

— Désolée, mais je ne peux vraiment pas dévoiler ma source, répondis-je.

— Parfait. À vrai dire, je m'en fous pas mal. Ce que je veux, c'est les infos que tu as sur lui.

Je sortis une copie papier du dossier de Randall et la posai sur le bureau de Brady.

— William Randall a passé douze ans au sein du SFPD. Il a intégré la brigade des stups en 2004 et a fait partie d'un détachement spécial de la DEA. En 2009, il a été affecté à la brigade des mœurs. Son fils aîné, Lincoln Randall, a failli mourir d'une overdose d'héroïne l'année suivante. C'était peut-être la première fois qu'il consommait une drogue dure.

— Son fils a donc frôlé la mort..., fit Brady.

Il s'assit et se mit à taper du pied sous son bureau.

— Randall l'a trouvé allongé dans la rue. Il l'a emmené à l'hôpital et Lincoln s'en est sorti, mais il a gardé pas mal de séquelles au niveau cérébral. C'était un garçon intelligent, qui s'est retrouvé du jour au lendemain avec les capacités d'un jeune enfant.

— Tu penses que c'est cette overdose qui a tout déclenché ?

— Exactement. Randall a de bons états de service et jouit d'une excellente réputation au sein de la maison, mais son histoire personnelle est marquée par ce terrible drame. Il est tout à fait possible qu'il se soit lancé dans cette croisade solitaire contre les dealers qui refourguent de la came aux gamins.

— Le problème, intervint Conklin, c'est que Meile et Penny ont interrogé Randall : il a un alibi pour l'assassinat de Chaz Smith à la Morton Academy. Il affirme qu'il était chez lui en famille, ce que sa femme a d'ailleurs confirmé – elle leur a dit que son mari était à la maison et qu'il rentrait toujours chez lui directement après le travail.

— Alors, pourquoi tu le soupçonnes, Boxer ? Aide-moi, parce que je nage un peu, là.

— Il est littéralement obsédé par les dealers.

— Comment le sais-tu ?

— D'après ma source, Randall a monté des dossiers sur chaque dealer de la région. Il sait des choses sur eux que même les stups ignorent. Il a des contacts dans la rue – aussi bien des dealers que des prostituées. Il avait également accès à la salle des preuves et il a donc très bien pu y dérober plusieurs armes. D'autre part, c'est un excellent tireur, et il y a fort à parier qu'il éprouve une véritable rage depuis l'overdose de son fils.

— En effet, ça se tient. Quel est votre plan ?

— Comme avant. Nous trois et deux équipes des stups. On se relaie pour surveiller les allées et venues de Randall. Et on ne communique que par téléphone.

— Entendu. On met ça en place.

84.

Conklin et moi avions suivi William Randall depuis le palais de justice. J'éteignis les phares au moment de traverser le carrefour proche de son domicile, dans le quartier de Western Addition, et parvins à me garer sur un emplacement d'où nous bénéficiions d'une vue de trois quarts sur la maison jaune de style édouardien où Randall vivait avec sa famille.

Il était maintenant 23 h 30 ; cela faisait cinq heures que nous surveillions la rue. J'avais mémorisé chaque maison, chaque allée et chaque poubelle, et je connaissais par cœur chaque détail architectural de la maison de Randall.

Construite sur trois niveaux, elle était typique de son époque et de son quartier. Un petit garage au rez-de-chaussée. Salon, cuisine et chambres au premier étage. Au dernier étage, le grenier avait sûrement été aménagé pour accueillir deux chambres supplémentaires.

Les lumières brillaient à l'intérieur, et le SUV de Randall était garé dans l'allée. Il n'avait pas bougé depuis notre arrivée.

On dit souvent que planquer est à peu près aussi intéressant que de regarder l'herbe pousser, la peinture sécher, ou l'eau bouillir. Mais un flic qui intègre la brigade criminelle se doute bien qu'il n'aura pas des horaires de bureau classiques, et Conklin et moi avions pris l'habitude de passer de longues heures immobiles à guetter. On s'entend bien, tous les deux, et même un peu plus que ça.

Avant qu'il ne sorte avec Cindy, à une période où Joe et moi avions rompu, l'étincelle qui jaillissait si souvent entre nous s'était embrasée et avait bien failli consumer le lit d'une chambre d'hôtel à Los Angeles.

Haletante, je lui avais demandé de mettre tout de suite fin à ce qui n'aurait été qu'une liaison torride sans lendemain. À plusieurs reprises, j'avais reconsidéré cette décision, mais, chaque fois que Conklin m'avait déclaré son amour, je m'étais remémorée à quel point j'aimais Joe. À quel point il me manquait.

Joe et moi nous étions finalement retrouvés.

Conklin est ensuite tombé sous le charme de Cindy, et tous deux forment un couple si évident qu'on se demande pourquoi il leur a fallu si longtemps pour se rendre compte qu'ils étaient faits l'un pour l'autre. Peu de temps après, j'ai ressorti la bague en diamant que Joe m'avait offerte et nous nous sommes mariés au bord de l'océan – une cérémonie magique, inoubliable. Et voilà que je ressassais de nouveau toutes ces choses.

Conklin me tendit la Thermos de café. Je bus quelques gorgées pendant qu'il téléphonait à Cindy.

— Tu allais te coucher ? lui demanda-t-il. Ah ? Tu bosses... Je ne sais pas trop à quelle heure je rentre, mais ne t'inquiète pas, je me réchaufferai un truc au micro-ondes. Et je te préviens, même s'il est tard, je te réveillerai en rentrant !

La réponse de Cindy le fit rire.

— Toi aussi.

Il raccrocha et remit son téléphone dans sa poche.

— Elle va bien ? demandai-je.

— Elle bossait sur un article. Dans ces moments-là, il vaut mieux ne pas la déranger trop longtemps. Regarde.

Je jetai un œil par-delà le canapé entreposé sur le trottoir dans l'attente des encombrants, et vis un homme, probablement Randall, qui déambulait à l'étage principal de la maison.

Puis les lumières s'éteignirent.

J'avais espéré que Randall quitterait son domicile, ferait chauffer le moteur de son SUV et partirait en chasse pour que nous puissions le suivre et l'arrêter en flagrant délit.

Mais rien de cela ne se produisit.

Bientôt, toute la maison fut plongée dans l'obscurité, à l'exception des chambres situées au dernier étage. Une télévision s'alluma dans l'une de ces pièces, et quelques minutes plus tard, j'aperçus l'ombre de Randall au deuxième étage. Puis plus rien.

— Il est parti se coucher, fis-je.

— Le veinard, ajouta Conklin.

Il nous restait trois heures avant la relève.

85.

Will Randall avait repéré la Ford bleue qui l'avait suivi depuis le palais de justice. Il l'avait vue se garer, phares éteints, non loin de chez lui.

Et depuis, la voiture n'avait pas bougé.

Will se doutait qu'il finirait par être surveillé, mais ses collègues en bleu ne l'avaient rien vu faire de compromettant. Ils n'avaient rien contre lui, sans quoi ils n'auraient pas organisé cette opération de surveillance.

Will longea le couloir, s'arrêtant dans chaque chambre pour s'assurer que les enfants dormaient bien. Il remplit la bouteille d'eau du hamster dans la chambre des garçons puis se rendit dans l'antre de son beau-père, Charlie, endormi dans son fauteuil devant la télé.

Will baissa le son et le thermostat, déplia le canapé-lit et aida Charlie à se glisser sous les couvertures. Une fois son beau-père couché, il se rendit dans les toilettes et manipula la poignée de la chasse jusqu'à ce que l'eau s'arrête de couler. En sortant, il éteignit la lumière du couloir puis grimpa au dernier étage.

La chambre de son fils aîné était située juste à côté de celle que Will partageait avec Becky. Il entra et plaça une chaise près du lit médicalisé où son fils était allongé.

— Tu veux regarder un peu la télé, Link ?

— Dah !

— David Letterman ? O.K.

Will alluma l'écran et appuya sur un bouton pour redresser le matelas. Lorsque Link fut en position assise, il plaça une paille dans le goulot d'une bouteille d'eau et la porta aux lèvres de son fils.

Père et fils regardèrent l'émission côte à côte pendant quelques minutes. Will songeait à la voiture banalisée garée à quelques mètres de chez lui, à ce qui arriverait à sa famille s'il se faisait arrêter. Ces pensées lui avaient déjà traversé l'esprit, et les mêmes questions avaient appelé les mêmes réponses.

Il éprouvait la sensation d'être en chute libre, mais ne s'avouait pas encore vaincu.

Son attention se recentra sur Letterman qui venait d'achever son monologue. Il reposa la télécommande sur la table de chevet.

— Je reviens dans cinq minutes. O.K., Link ?

Il passa dans la pièce d'à côté. Becky était déjà couchée, visiblement lessivée par la journée qu'elle venait de passer à gérer cet asile de fous. Will aimait tendrement sa femme ; il s'inquiétait pour sa santé, admirait son dévouement, et aurait été incapable de vivre sans elle.

Il s'assit au bord du lit et posa doucement sa main sur sa joue. Elle ouvrit les yeux.

— Tu viens te coucher, chéri ?

— Bientôt.

— O.K. À tout à l'heure.

Will s'approcha de la fenêtre et resta un instant à contempler la rue. Il savait que dehors, dans leur voiture, deux flics voyaient sa silhouette se découper en contre-jour. Il baissa les stores et éteignit la lumière.

Avant de quitter la chambre, il s'arrêta sur le pas de la porte pour écouter la respiration de Becky, puis descendit au garage. Là, il décrocha sa veste en cuir du portemanteau et l'endossa. Il sortit son pistolet caché dans la boîte à outils, le coinça sous sa ceinture puis quitta la maison par la porte de derrière et descendit les marches menant au jardin.

La lune éclairait suffisamment pour y voir clair, mais pas assez pour être vu. Il traversa la pelouse, contourna la balançoire et disparut entre les deux maisons qui encadraient son jardin.

Il déboucha sur Golden Gate Avenue, s'engagea dans la rue déserte, longea plusieurs maisons victoriennes à moitié délabrées et trouva la Camaro de Becky à l'endroit où il l'avait garée. Il ouvrit la portière, s'installa au volant, posa son arme sous le siège et démarra le moteur.

Quelques secondes plus tard, il roulait en direction de l'est. Il tenait à accomplir sa mission avant que Craig Ferguson n'entame sa rubrique, ce qui lui laissait environ une heure.

Largement faisable si tout se déroulait comme prévu.

86.

Will Randall roulait dans la zone industrielle de Potrero Hill District comme s'il transportait un tonneau de bière rempli à ras bord. Les yeux rivés sur le compteur, il s'arrêtait à chaque feu rouge et prenait soin de ne rien faire qui puisse attirer l'attention. Il voulait juste finir le travail et rentrer chez lui.

Il s'arrêta au croisement d'Alameda Street et de Potrero Avenue puis poursuivit sa route jusqu'à Utah Street, une petite rue calme, adjacente au Jewelry Center, et qui, même pendant la journée, restait peu fréquentée.

La nuit, elle était presque déserte, et trouver une place ne posait aucun problème. Will se rangea sur un emplacement situé à proximité du Zeus, une boîte de nuit qui occupait l'intégralité d'un bâtiment en brique de trois étages et possédait la meilleure sono de San Francisco.

Depuis cet endroit, il pouvait voir l'autoroute, les arbres récemment plantés un peu plus haut dans la rue, un groupe de jeunes hilares qui déambulaient sur le trottoir. Ils traversèrent la rue derrière lui et se dirigèrent vers les portes métalliques noires par où se faisait l'entrée dans la discothèque.

Will se força à laisser passer quelques minutes durant lesquelles il médita la notion de bien et de mal. Il songea que les forces obscures cherchaient constamment à renverser l'ordre du bien. Il avait passé la moitié de sa vie à croire à ce principe, mais la différence entre le bien et le mal s'était estompée depuis qu'une came frelatée avait flingué le cerveau de Link.

Will monta le son de sa radio calée sur la fréquence de la police et écouta les échanges entre les véhicules de patrouille et le standard. Dès qu'il fut certain qu'il n'y avait plus d'activité dans la partie nord de Potrero, il empoigna son calibre .22, vissa le silencieux, fourra le pistolet sous sa ceinture et sortit de sa voiture.

À l'intérieur du Zeus, le brouhaha évoquait le bruit d'un sac de briques dans un sèche-linge en marche. Lumières clignotantes, foule mouvante composée de jeunes défoncés à l'alcool, à l'ecstasy, à la coke et Dieu seul savait à quelles autres drogues récemment mises en circulation.

Will se fraya un chemin jusqu'au bar, derrière lequel un écran géant diffusait des images d'éclairs zébrant le ciel au-dessus d'une immense prairie. Il commanda une bière, paya avec un billet de dix dollars et laissa la monnaie sur le comptoir. Son verre à la main, il s'approcha de la piste de danse. Les boîtes de nuit comme le Zeus, qui proposaient de la musique live, accueillaient un public éclectique.

C'était bien connu, si les points d'eau attiraient les gazelles, elles attiraient aussi les lions. Là où les jeunes se regroupaient, les dealers affluaient. Will analysa la foule et classa les gens en trois catégories : étudiants, mâles solitaires en chaleur, touristes. Il vit de l'argent changer de mains près du bar.

Alors que Will observait la scène, le dealer, Stevie Blow, tourna la tête et repéra l'homme qui le fixait du regard. Blow figurait en bonne place sur sa liste de trafiquants à abattre – une liste qui comportait plusieurs centaines de noms. Peut-être pas en première place, mais assurément dans le *top ten*.

Will hocha la tête. Message reçu. Son pouls s'accéléra tandis que Blow se dirigeait vers lui dans l'obscurité.

87.

Grand, les cheveux blonds parsemés de mèches roses qui lui tombaient devant les yeux, le jeune homme portait un jean usé jusqu'à la trame et un T-shirt au tissu brillant. Il s'approcha de Will qui l'attendait adossé à un mur et lui demanda s'il cherchait quelque chose pour « décoller ».

Will ne le connaissait pas personnellement, mais il en savait long sur lui. Stevie Blow – Steven Sargent de son vrai nom – était âgé de vingt-cinq ans mais paraissait plus jeune. Il traînait aux abords des lycées pendant la journée, et dans les clubs une fois la nuit tombée. Le Zeus était son terrain de chasse favori.

— Tu as de la coke ? demanda Will.

— Pas de problème, répondit Blow.

Il enchaîna en lui vantant les mérites de ses « sels de bain » de fabrication maison, une drogue hautement addictive contenant du MDPV, un produit chimique qui provoquait des hallucinations intenses et était responsable de *bad trips* qui rendaient le consommateur violent et parfois même suicidaire. Il avait baptisé son mélange « Peach Bliss ».

— Tu vas a-do-rer ça, mec, lui hurla-t-il dans l'oreille. Je te le garantis ! C'est seulement vingt dollars la première dose. Comme ça, tu pourras goûter.

Stevie plongea la main dans la poche arrière de son jean.

— Pas ici, fit Will.

Les musiciens venaient de finir leur set. Ils quittèrent la scène malgré les cris du public qui en redemandait, puis la foule se déchaîna à l'arrivée du DJ résident.

Will se retourna pour s'assurer que Blow se trouvait bien derrière lui avant de contourner la foule en direction de la cuisine, au fond de la salle. Il poussa les portes.

À l'intérieur, c'était l'heure du coup de feu. Cris, grésillement de l'huile dans les poêles, fracas des casseroles contre les fourneaux, cliquetis des couverts jetés dans les éviers. Les portes arrière avaient été ouvertes pour évacuer la chaleur.

Personne ne fit attention à eux lorsqu'ils traversèrent la cuisine. Ils débouchèrent à l'extérieur sur San Bruno Avenue, le long du viaduc autoroutier. La zone sombre et bruyante située sous la route était délimitée par un grillage. Will se faufila à travers une brèche.

— T'es vraiment parano, lança Stevie. J'aurais même pu te vendre ça dans un commissariat, les flics n'auraient rien pu faire.

— Je préfère être tranquille.

— Ouais, chacun son truc. En tout cas, tu vas voir : avec ça la nuit va être explosive !

Il était en train de trier ses sachets lorsque Will sortit son flingue. Tenant l'arme par la crosse, il enfonça le canon dans un sac plastique, qui allait servir à récupérer les douilles et les résidus de poudre.

Will visa et tira deux coups.

Le bruit des détonations, étouffé par le silencieux, fut semblable à celui du popcorn dans un éclateur de maïs.

Stevie Blow laissa tomber sa marchandise et porta ses mains à son torse. Il observa le sang qui coulait, puis son regard se posa sur Will.

— Qu'est-ce que… ?

— Tu es coupable et tu payes, c'est tout. J'ai quand même une pensée pour tes parents, Steven. Je suis désolé pour eux.

Will tira une dernière balle dans le front du jeune homme, le regarda s'écrouler sur le sol, puis traîna le corps jusqu'à un muret contre lequel il le plaça en position assise, entre deux sacs poubelle.

Sa mission achevée, il regagna la voiture de sa femme. Il n'éprouvait aucune tristesse. Il songea à son propre enfant. Dans une vingtaine de minutes, il entrerait dans sa chambre pour éteindre la télé avant d'aller se coucher au côté de sa chère et tendre Becky.

Il allait même pouvoir faire une nuit complète.

88.

J'entendis la sonnerie d'un téléphone, loin, très loin, puis quelqu'un me secoua le bras :

— Réveille-toi, Lindsay.

J'émergeai péniblement d'un sommeil à la profondeur insondable.

— Qu'est-ce qui se passe ?

J'étais assise sur le siège passager d'une voiture banalisée garée à deux cents mètres de la maison de Randall. Les lumières étaient éteintes et sa voiture toujours dans l'allée.

— Il est quelle heure ?

— Un peu plus d'une heure et demie, fit Conklin. Brady vient d'appeler. Un meurtre a eu lieu dans une ruelle derrière le Zeus. Un dealer a reçu plusieurs balles dans la tête et dans la poitrine.

— Ça ne peut pas être Randall ?

Conklin me répéta ce que lui avait appris Brady : un serveur avait vu deux hommes traverser la cuisine. L'un était la victime, l'autre un homme d'environ un mètre quatre-vingts aux cheveux foncés, qui ressemblait au stup qui avait serré le cousin du serveur cinq ans plus tôt.

— Le serveur a visionné plusieurs photos. Il a identifié Randall, mais sans conviction. Il n'était pas sûr à cent pour cent.

William Randall avait les cheveux bruns, mesurait un peu plus d'un mètre quatre-vingts et avait passé cinq ans à la brigade des stups – mais sa voiture n'avait pas bougé d'un iota.

Pour autant, il avait très bien pu quitter sa maison par la porte de derrière, emprunter un autre véhicule pour se rendre au Zeus et liquider le dealer pendant que je roupillais.

Nous avions convenu de ne pas utiliser la radio. J'appelai donc Brady sur son téléphone portable pour lui demander l'autorisation d'aller sonner chez Randall, histoire de vérifier s'il était absent ou tranquillement endormi dans son lit.

— Si Randall est chez lui, montrez-vous courtois et respectueux. C'est le chouchou de Meile.

Et si Randall était chez lui et qu'il avait malgré tout commis le meurtre de ce soir ? Cela signifierait qu'il avait très probablement commis tous les meurtres imputés au Vengeur.

D'autre part, Randall avait plusieurs enfants.

Que faire s'il décidait de se retrancher chez lui en les prenant en otage ?

Je tremblais intérieurement en songeant à tout ce qui risquait d'arriver. Pourtant, je n'entrevoyais aucune alternative. S'il se savait surveillé, il nous était impossible de prédire sa réaction. Nous devions donc à tout prix l'éloigner de ses enfants.

— On s'en fout qu'il soit le chouchou de Meile, fis-je à Brady. Envoie-nous du renfort. Si jamais j'ai raison, crois-moi, je ne vais pas jouer à trois petits chats avec lui. Et si je me trompe, je me répandrai en excuses.

Quelques minutes plus tard, deux voitures banalisées arrivèrent à notre hauteur. Je demandai aux gars de se garer sur Golden Gate Avenue et d'aller se poster à l'arrière de la maison. Je pris soin de préciser que le suspect était un flic.

— Il se peut que vous tombiez sur lui et qu'il porte un uniforme, ou qu'il se présente comme étant de la police. Comportez-vous comme vous le feriez avec n'importe quel suspect armé et dangereux.

D'autres voitures s'engagèrent en silence dans Elm Street, sirènes et gyrophares éteints. Je donnai mes instructions à six autres équipes, leur expliquai que notre cible était un homme armé, dangereux et soupçonné de plusieurs meurtres. J'ajoutai que cinq enfants et au moins deux autres adultes se trouvaient à l'intérieur de la maison.

J'élaborai ensuite un plan d'action, puis mon coéquipier et moi nous dirigeâmes vers les marches menant à la porte d'entrée. Conklin se plaça en retrait, arme au poing.

Je pressai le bouton de la sonnette et frappai à la porte :

— Sergent Randall. C'est la police.

Je priai pour que tout se passe calmement.

Je priai aussi pour ne pas me prendre une rafale à travers la porte.

89.

Une lumière s'alluma au premier étage, suivie d'une autre dans l'entrée. Une personne jeta un œil à travers le judas puis la porte s'ouvrit et une femme en robe de chambre jaune, le visage froissé de sommeil, nous demanda :

— Je peux vous aider ?

Je lui montrai mon badge et lui présentai mon coéquipier, qui rangea son arme dans son étui.

— Êtes-vous Becky Randall ?

— Oui, c'est bien moi.

Je lui exposai brièvement la raison de notre venue en lui expliquant que nous enquêtions sur un meurtre commis un peu plus tôt dans la nuit.

— Je ne peux malheureusement pas faire grand-chose pour vous, mais mon mari est policier. William Randall. Il travaille à la brigade des mœurs.

— Où est-il, madame Randall ? demanda Conklin.

— À l'étage. Il dort.

— Nous devons absolument lui parler.

— Bien sûr. Attendez-moi ici. Les enfants dorment et j'aime autant qu'ils ne se réveillent pas. Je vais aller chercher Will.

De nouvelles voitures de patrouille affluaient de toutes les directions, et Becky Randall comprit soudain que nous n'étions pas là pour une simple visite de routine.

— Que se passe-t-il ?

— Venez avec moi, madame Randall, fis-je en la prenant fermement par le bras pour la forcer à sortir.

Conklin en profita pour franchir la porte.

— Un officier de police va rester avec vous jusqu'à ce que nous ayons fini d'interroger votre mari.

Malgré ses cris de protestation, je conduisis Becky Randall en bas des marches, où l'officier Cora la prit en charge. Je mis ce temps à profit pour me ressaisir.

Toutes les personnes qui s'apprêtaient à entrer dans la maison de Randall couraient un risque potentiel, aussi bien mon bébé que mon coéquipier, les enfants de Randall et les hommes placés sous mes ordres.

Je dégainai mon arme et suivis Conklin à l'intérieur, allumant les lumières au fur et à mesure de notre progression. Je fis signe aux hommes en uniforme de se déployer au deuxième étage, et une fois l'endroit sécurisé – un policier en faction à côté de chaque porte – Conklin et moi nous engageâmes dans l'escalier menant au grenier.

Comme je l'avais supposé, deux chambres y avaient été aménagées. La porte de l'une d'elles était ouverte. Depuis le palier, je pouvais voir la pièce dans son intégralité. Un jeune homme était allongé dans un lit médicalisé ; un mobile composé d'une multitude d'étoiles brillantes oscillait doucement au-dessus de lui.

Il tourna les yeux vers moi et prononça :

— Aaah.

J'appuyai sur l'interrupteur, fouillai rapidement la pièce du regard puis adressai un petit geste de la main au garçon avant de refermer la porte.

Celle de la seconde chambre était fermée.

Conklin et moi nous plaçâmes de chaque côté de la porte. Je toquai :

— Sergent Randall ? Sergent Lindsay Boxer, du SFPD. Ne vous inquiétez pas, nous voulons simplement vous poser quelques questions. Je vais vous demander de venir ouvrir doucement la porte. Ensuite, reculez-vous et placez vos mains sur la tête.

— Qui êtes-vous ? demanda-t-il.

Je répétai mon nom, puis j'entendis le plancher grincer, et, de nouveau, la voix de Randall nous parvint à travers la porte :

— Je ne suis pas armé, dit-il. Ne tirez pas.

La porte s'ouvrit ; William Randall se tenait face à nous, en caleçon, les mains posées l'une sur l'autre au sommet de son crâne.

Un tatouage ornait son torse : un aigle aux ailes déployées sous lequel était inscrite une phrase en grosses lettres noires. Une phrase que je reconnus aussitôt puisqu'il s'agissait de la devise de San Francisco et du SFPD.

Oro en paz. Fierro en guerra.

L'or en paix. Le fer en guerre.

Une devise que William Randall s'était visiblement appropriée.

90.

Ambiance pourrie à la brigade cette nuit-là.

Les supérieurs de Randall, passés et présents, étaient furieux contre Brady, à qui ils reprochaient la façon dont Conklin et moi avions interpellé Randall à son domicile. Ce à quoi Brady leur rétorqua :

— Si c'est bien lui l'auteur de ce meurtre, alors il est coupable de six assassinats cette semaine. Vous comprenez ?

Brady prit notre défense en martelant que nous avions pris la décision qui s'imposait.

Mais, de mon côté, je commençais à me poser des questions.

Pendant que nous conduisions Randall au palais de justice, le serveur du Zeus était revenu sur son identification provisoire. Il n'était plus certain d'avoir isolé la bonne personne parmi les six portraits qui lui avaient été présentés. C'est pourquoi Brady décida d'organiser un tapissage tant que le souvenir de la scène était encore frais dans la mémoire du jeune homme.

Parce qu'il possédait un physique susceptible de correspondre à la description, Conklin fut désigné pour aller s'aligner au côté de Randall et des quatre personnes choisies au hasard parmi les employés du palais de justice.

Je me plaçai derrière la vitre sans tain avec le serveur. Les six hommes s'avancèrent à tour de rôle, se tournant vers la droite puis vers la gauche avant de regagner leur place initiale.

Je retins mon souffle lorsque le serveur demanda que Randall s'avance une seconde fois. Ce fut lui qu'il identifia en premier.

— Vous en êtes absolument certain ? demanda Meile.

Le jeune homme changea alors d'avis et désigna Morris Greene, un assistant du district attorney qui faisait des heures sup' lorsque nous étions allés le chercher pour participer à la séance d'identification.

Qu'allait-il se passer maintenant ?

Brady affichait un air déterminé :

— Interroge-le comme si tu le soupçonnais d'être le nouveau David Berkowitz. Ou le nouveau Lee Harvey Oswald.

La salle d'observation, de l'autre côté de la vitre sans tain, était pleine à craquer de gradés : Brady, Meile et Penny, ainsi que plusieurs types que je ne connaissais même pas.

J'apportai trois gobelets de café dans la salle d'interrogatoire, m'excusai à nouveau auprès de Randall pour l'avoir réveillé en fanfare au beau milieu de la nuit, ainsi que pour les deux heures d'attente en cellule.

— Écoutez, sergent. Je n'ai commis aucun crime, alors faites votre boulot et qu'on en finisse, O.K. ? Ma femme et mes enfants doivent être fous d'inquiétude, et je suis à deux doigts de rendre mon badge et de vous envoyer tous vous faire f...

Étions-nous responsables d'une grossière erreur ?

Que pouvions-nous tirer de cet interrogatoire ?

Nous n'avions ni preuve ni témoin, rien d'autre qu'un homme qui avait fait toute sa carrière dans la police et que nous avions interpellé à son domicile alors qu'il dormait en caleçon.

Le sergent William Randall avait-il abattu six personnes en l'espace de sept jours ? Avions-nous mis la main sur le tueur en série qui faisait la une de tous les journaux ? Avec toutes ces huiles qui nous observaient de l'autre côté du miroir, Conklin et moi devions à tout prix garder notre sang-froid, poser les bonnes questions et soit disculper Randall, soit l'amener à passer aux aveux.

91.

Mon coéquipier et moi prîmes place face à Randall, l'homme qui venait peut-être d'établir le nouveau record du plus grand nombre de meurtres jamais commis par un flic. Il avait l'air fatigué et irrité.

Je lui tendis un gobelet de café et attendis qu'il ait fini de mélanger le sucre avant de me lancer :

— Si vous vous montrez coopératif, nous n'en aurons pas pour très longtemps. Qu'avez-vous fait au cours des huit dernières heures ?

— Je suis rentré chez moi après mon service aux alentours de 18 heures. J'ai passé toute la soirée chez moi. Ma femme vous l'a dit.

— Possédez-vous une deuxième voiture, sergent Randall ?

— Non. Ma femme en a une.

— Disposez-vous d'une arme ?

— Uniquement mon arme de service. Je ne tiens pas à conserver des armes à feu chez moi à cause de mes enfants et de mon beau-père, qui a de gros problèmes de mémoire à court terme.

— Avez-vous conduit la voiture de votre femme, ou tout autre véhicule, entre hier 18 heures et cette nuit à 1 heure du matin ?

— Non.

— Avez-vous utilisé une arme à feu la semaine dernière ?

— J'aime l'aplomb avec lequel vous me posez cette question.

— Veuillez répondre, s'il vous plaît.

— Bien sûr que non ! Vous avez testé mes mains. Comme vous avez pu le constater, elles étaient vierges de toute trace de poudre.

C'était vrai.

Le test de résidus de tir s'était révélé négatif, même s'il avait bien sûr pu se laver les mains en rentrant chez lui. Par ailleurs, nous ne disposions d'aucun mandat de perquisition nous permettant d'aller fouiller sa maison ou d'apporter ses vêtements au labo pour les faire analyser. Je me levai, arpentai un instant la pièce et revins m'asseoir.

— Un témoin vous a vu au Zeus, tout à l'heure, fis-je en me penchant par-dessus la table.

— Je suis certain qu'il n'a pas pu m'identifier pendant le tapissage.

— Il se pourrait qu'il y en ait d'autres. Quand le légiste aura autopsié le corps, et quand les techniciens en auront fini avec la scène de crime, nous aurons des preuves matérielles. Soyez-en certain.

— Croyez ce que vous voulez, sergent. Je ne suis pas inquiet le moins du monde.

Conklin prit le relais :

— Sergent. Will. Il est temps de nous dire la vérité, vous ne croyez pas ? Si vous avouez maintenant, nous saurons nous montrer indulgents. Je vous garantis que nous ferons tout ce qui est possible pour vous aider. Vos victimes sont des criminels, et vous avez des amis haut placés.

— Je n'ai tué personne.

Je poussai un long soupir :

— Avez-vous une idée de l'identité du tueur ?

— Pas la moindre, mais j'avoue être admiratif du travail qu'il a accompli. Il nous évite une montagne de paperasses et débarrasse la ville de ses pires ordures.

Randall me dévisagea d'un air bravache, comme s'il me défiait de prendre ces paroles pour une forme d'aveu.

— Désolé, sergent, mais je n'ai rien à vous dire. Mes enfants sont effrayés et ma femme est morte d'inquiétude. Coffrez-moi ou alors laissez-moi partir.

Nous poursuivîmes l'interrogatoire pendant encore une heure en prenant la parole à tour de rôle. Nous revînmes plusieurs fois sur son emploi du temps de la semaine passée sans jamais réussir à le prendre en défaut. Randall était un type intelligent, et il avait autant d'expérience que moi en matière d'interrogatoires.

Nous avions fait du bon boulot, mais Randall aussi. Il ne nous avait pas donné le moindre petit os à ronger, et je ne voyais plus quelles questions lui poser.

— Bien. Vous pouvez partir, sergent Randall. Merci de votre coopération.

Randall se leva et enfila son coupe-vent :

— Il faudrait que quelqu'un me dépose chez moi, lança-t-il. (Puis, comme si cette pensée venait de lui traverser l'esprit, il ajouta :) Vous devriez faire attention, sergent Boxer. Quand on est enceinte, il vaut mieux éviter de courir le moindre risque.

Je le pris comme un conseil attentionné.

Conklin l'escorta hors de la salle. À son retour, il me trouva assise à la table. Je n'avais pas bougé d'un centimètre.

— Alors ? lui demandai-je.

— Franchement, je ne sais pas quoi en penser.

— Tu sais quoi, Rich ? C'est bizarre, mais cet enfoiré m'inspire de la sympathie.

— C'est un dur à cuire. Il me fait un peu penser à toi.

92.

J'emmenai Martha avec moi pour prendre le petit déjeuner au Zazie, un bistro du quartier de Cole Valley. La nourriture y était délicieuse, et l'endroit avait l'avantage de posséder un petit jardin à l'arrière. Nous franchîmes la porte d'entrée, et, aussitôt, la serveuse m'expliqua qu'elle était désolée mais que les chiens n'étaient pas autorisés dans l'établissement.

— Martha est un chien policier.

— Vraiment ?

La jeune femme baissa les yeux vers mon petit border collie aux poils hirsutes et me fit comprendre par son air dubitatif qu'elle n'y croyait pas une seule seconde.

Je dois reconnaître que Martha s'en est alors très bien sortie. Elle a levé la tête vers la serveuse, l'a regardée droit dans les yeux, et a fait passer dans son regard une expression où se mêlaient professionnalisme et sagesse canine.

Je la fis reculer et s'asseoir.

— Vous voyez ? fi-je en sortant mon badge. Je suis de la police. Martha est ma coéquipière.

— O.K. J'imagine qu'elle est entraînée à renifler la drogue. Je ferais mieux de ne pas m'approcher d'elle. Très mignonne, en tout cas. Je lui apporte de l'eau ? Plate ou pétillante ?

Je souris pour la première fois depuis le début de la semaine, puis une seconde fois en apercevant Claire qui m'attendait à une table au fond du jardin aux murs couverts dc lierre.

Nous échangeâmes une longue étreinte qui me fit un bien fou, puis Claire se pencha pour embrasser Martha sur le museau. Ma chienne se mit à remuer la queue en se tortillant dans tous les sens. Elle adore Claire.

Nous prîmes place à une table qui occupait l'un des coins du patio, et Claire écarta d'un geste de la main la pile de journaux qui s'y trouvait – mais pas assez vite.

— Attends, laisse-moi jeter un coup d'œil.

Je parcourus les gros titres.

Le *Post* : « Nouvel assassinat d'un dealer au Zeus » par Jason Blayney.

Le *Chronicle* : « Un suspect interrogé dans le cadre de l'affaire Ellsworth » par Cindy Thomas.

— C'est bien vrai : on peut fuir, mais on ne peut pas se cacher, fis-je en tendant les journaux à Claire.

— Quoi de neuf avec Joe ? me demanda mon amie.

— Toi d'abord. Je serai incapable de parler tant que je n'aurai pas bu un chocolat chaud et avalé plusieurs pancakes.

— J'ai passé la nuit à bosser. Ça ne se voit pas ?

En effet, maintenant qu'elle me le disait, je remarquai qu'elle portait encore sa blouse.

— Raconte-moi tout.

— Par où je pourrais bien commencer ? Hier, à 19 heures, on avait encore du boulot par-dessus la tête, et notamment l'autopsie d'un jeune de dix-sept ans. Vu la nature de l'impact au niveau de la tempe, c'était clairement un suicide, mais les parents refusaient de l'admettre. J'ai essayé de leur expliquer les choses en douceur, mais ils me répétaient en boucle : « Non, Davey n'aurait jamais fait une chose pareille. »

— Quelqu'un s'est introduit chez eux par effraction ? La porte était fracturée ?

— C'est exactement la question que je leur ai posée. Ils m'ont répondu : « Non, mais ils ont pu passer par une fenêtre. » Le jeune avait des traces de poudre sur les mains, Lindsay. Et les fenêtres étaient toutes fermées de l'intérieur… C'est triste à dire, mais ce gamin s'était fait sauter la cervelle.

» C'est à ce moment-là qu'est arrivé M. Dickenson. Il souffrait d'hypertension, et sa femme l'avait emmené à l'hôpital parce qu'il avait commencé à se sentir faible et qu'il s'était évanoui. Là-bas, il était sur le point de passer un scanner qui aurait confirmé qu'il avait eu une attaque, mais il a fait un arrêt cardiaque au beau milieu du couloir.

» Et donc, voilà ce M. Dickenson qui débarque à la morgue. J'ai dû pratiquer une autopsie qui aurait été complètement inutile s'il avait fait son arrêt cardiaque deux minutes plus tard. Pendant ce temps-là, les parents du jeune Davey continuaient à affirmer que leur fils avait été assassiné.

Nous fîmes une pause le temps de passer notre commande à la serveuse, puis Claire reprit son récit :

— J'ai donc autopsié M. Dickenson, et je n'ai rien trouvé d'anormal au niveau de son cerveau. Je me suis dit, bizarre. J'ai continué à chercher et j'ai découvert qu'il n'était pas mort d'une attaque cérébrale, mais d'une dissection aortique. Comme quoi, il ne faut jamais tirer de conclusions hâtives.

» Pour couronner le tout, aux alentours de minuit, Edmund m'a appelée pour me dire que Rosie avait beaucoup de fièvre. Je lui ai dit de l'emmener immédiatement à l'hôpital, et je n'avais pas eu le temps de raccrocher que deux nouveaux patients arrivaient. Deux morts dans une collision frontale sur Henry Street.

Le téléphone de Claire se mit à vibrer sur la table, se déplaçant comme un étrange insecte bourdonnant. Elle jeta un œil à l'écran et pressa la touche rouge pour déclencher son répondeur.

— Comment va Rosie ? demandai-je tandis que la serveuse nous apportait le café.

— Mieux. Sa fièvre a baissé. Edmund m'a dit qu'elle s'était endormie. On a un peu paniqué tous les deux, mais c'est normal quand on a un enfant de cet âge-là – tu verras ça bientôt. Quant à moi, je rentre me coucher dès qu'on aura payé l'addition, et crois-moi je ne suis pas près de retourner au travail. Bon, parle-moi de Joe, maintenant.

Je reposai ma tasse de café :

— Il m'a appelée une bonne centaine de fois. Apparemment, il dort dans sa voiture, parfois même devant notre immeuble. Je ne lui ai pas parlé depuis que j'ai appris qu'il m'avait trompée. Pas un mot. Rien.

QUATRIÈME PARTIE

RÉCHAUFFEMENT

93.

Je venais juste d'enlever mes chaussures et d'accrocher la laisse de Martha au portemanteau lorsque retentit la sonnerie de l'interphone. Sur l'écran, je vis T. Lawrence Oliver qui attendait dans le hall, face à la caméra.

Il était en avance.

— J'arrive tout de suite, articulai-je dans le combiné.

Une BMW noire rutilante était garée le long du trottoir, et Oliver tenait la portière ouverte. Harry Chandler se pencha vers moi :

— Montez, Lindsay.

Je m'installai avec lui sur la banquette arrière, puis Harry demanda à son chauffeur d'aller se promener quelques instants pour nous laisser le temps de discuter.

— Merci d'être venu, Harry, commençai-je.

— Pas de problème. Je voulais vous parler de Connie Kerr en personne. Je ne sais pas si je dois verser une caution pour elle.

— Il n'en est pas question pour le moment. Connie n'est pas en état d'arrestation. Nous la détenons uniquement en tant que témoin essentiel. Si d'ici demain midi nous n'avons pu retenir aucune charge contre elle, elle ressortira libre. Avez-vous des accusations à formuler à son encontre ?

— Non. Je ne pourrais jamais lui faire un coup pareil. Vous savez, j'ai passé dix-huit mois derrière les barreaux en attendant mon procès, et cette incarcération m'a profondément marqué.

Chandler me parla de sa courte idylle avec Connie, des années auparavant. Elle lui avait toujours semblé fragile sur le plan psychologique, peut-être même folle, mais il ne l'imaginait pas capable de tuer. Je le remerciai pour sa coopération et quittai la voiture tandis que son chauffeur s'installait au volant.

Perdue dans mes pensées, je venais juste d'introduire ma clé dans la serrure de la porte de mon immeuble lorsque je sentis une main se poser sur mon épaule. Je me retournai brusquement, déjà prête à asséner un coup de poing à mon agresseur potentiel.

C'était Joe.

Je restai un long moment à le dévisager ; aucun détraqué n'aurait pu faire battre mon cœur aussi vite. Le choc et la confusion s'emparèrent de mon esprit. Joe, mon mari, l'homme que j'aimais, se tenait là, face à moi.

Mais, simultanément, je me sentis envahie par une profonde répugnance.

Mon visage devait refléter une haine meurtrière, car Joe s'empressa de me dire :

— Du calme, Lindsay. C'est moi, Joe. Je suis venu pour parler, O.K. ?

— Je n'ai rien à te dire.

— Moi si. Tu te trompes sur toute la ligne, Linds. Tu dois m'écouter.

Je revis June Freundorfer plongeant son regard dans celui de Joe. J'avais placé toute ma confiance en cet homme. Je portais son enfant. J'avais projeté de fonder une famille avec lui – et il m'avait trompée. Jamais je ne m'étais sentie trahie à ce point. Je devais à tout prix m'éloigner de lui. Sa simple présence m'était insupportable.

Je le repoussai sèchement ; il recula d'un pas. J'en profitai pour tourner la clé, entrouvrir la porte et me faufiler dans le hall avant de claquer la porte derrière moi.

Je fonçai droit vers l'ascenseur. Les portes n'avaient pas eu le temps de se refermer que mon portable se mit à sonner. Je ne pris pas l'appel. De retour chez moi, je ne décrochai pas non plus le combiné de mon téléphone fixe.

Le calme revint momentanément, puis le fixe sonna à nouveau. L'écran indiquait que l'appel provenait de Conklin.

Je décrochai dans la cuisine, saluai mon coéquipier, puis :

— O.K. Je te retrouve sur place.

94.

Constance Kerr était assise face à nous dans une minuscule salle de la prison de Seventh Street, à seulement quelques pâtés de maisons du palais de justice. Elle faisait vraiment peine à voir dans sa combinaison orange. Ses cheveux blond cendré frisotaient, la faisant ressembler à la fiancée de Frankenstein.

— Quel endroit épouvantable, se plaignit-elle d'emblée. C'est ignoble. Les cris, les insultes. C'est plus que je ne puis en supporter.

J'étais sincèrement désolée pour elle.

— Que vouliez-vous me dire ? lui demanda Conklin.

— Je dois absolument quitter cette prison, lança-t-elle. Je vous en prie, expliquez-moi ce que je dois dire pour sortir d'ici !

— Dites-nous ce que vous savez à propos des crânes retrouvés à Ellsworth, intervins-je. Et cette fois, pas de mensonges.

Kerr se tourna vers moi et m'observa comme si elle venait juste de remarquer ma présence.

— J'ai parlé à Harry Chandler, ajoutai-je.

— Ah oui ? Comment va-t-il ?

— Il prétend qu'il ne s'est jamais rien passé entre vous.

Elle laissa échapper un rire bien faible en comparaison des bruyantes esclaffades auxquelles elle nous avait habitués.

— Il affirme que vous l'avez harcelé pendant des années.

— C'est faux.

— Il ne peut donc pas témoigner en votre faveur. De plus, il m'a confié qu'il ne serait pas surpris d'apprendre que vous avez tué sa femme.

— Non. Ce n'est pas possible. Il n'a pas pu vous dire une chose pareille.

— Détrompez-vous, tout cela est très sérieux. Je vous rappelle qu'il s'agit d'une enquête *criminelle.*

J'avais enfin réussi à mobiliser son attention, et je savais qu'il était temps de me taire et de la laisser parler.

Les mains croisées, j'observai Connie Kerr réfléchir à la situation. Elle se demandait si elle ne risquait pas de devoir répondre d'un acte autrement plus grave que celui d'occuper illégalement son logement – en se retrouvant par exemple suspectée de meurtre, avec une star du cinéma prête à témoigner contre elle.

— J'ai vu quelqu'un dans le jardin, lâcha-t-elle au bout d'un moment.

— N'allez pas inventer une nouvelle histoire, la prévint Conklin.

— C'est la vérité. Je me mets souvent à ma fenêtre pour voir ce qui s'y passe. La nuit, l'obscurité est totale, mais certains jours de pleine lune, il m'est arrivé de voir quelqu'un jardiner – avec une pelle. Ça ressemblait d'ailleurs plus à une ombre qu'à une personne. Cette ombre enterrait quelque chose, et puis après avoir rebouché le trou, elle plaçait une pierre par-dessus pour en marquer l'emplacement.

Des larmes jaillirent de ses yeux et se mirent à couler le long de ses joues.

— J'ai toujours trouvé ça suspect, seulement je ne pouvais en parler à personne. J'avais peur que Harry me mette à la porte. Mais je voulais quand même savoir ce qui était enterré sous ces pierres. Voilà pourquoi j'ai fait ça.

— Qu'avez-vous fait exactement ? demanda Conklin.

— Une nuit, alors que les lumières étaient éteintes dans la maison... Excusez-moi, il faut que je me mouche.

Je lui tendis un paquet de mouchoirs que je gardais dans la poche de mon manteau et attendis qu'elle poursuive son récit.

— J'ai pris mon marteau et je suis allée fracturer le cadenas du portail. Seigneur ! J'ai commis une effraction...

Conklin et moi continuâmes à la regarder sans réagir.

— Je savais où le jardinier rangeait ses outils, reprit Connie. Je me suis dirigée vers la remise, au fond du jardin. La porte n'était pas fermée à clé.

— Et ensuite ?

— J'ai pris une pelle et une paire de gants et je suis allée creuser sous l'une des pierres. Je n'ai pas eu besoin de creuser beaucoup.

» J'ai trouvé un premier crâne, et en frottant pour enlever la terre qui le recouvrait, il m'est venu une idée. C'est souvent comme ça quand on est écrivain, vous savez. Parfois, une idée toute prête jaillit d'on ne sait trop où.

Connie Kerr me paraissait saine d'esprit. Un peu toquée, certes – en tout cas suffisamment pour déterrer des crânes tout en s'imaginant dans une œuvre de fiction –, mais elle ne me donnait pas l'impression d'être une meurtrière.

— Qu'avez-vous fait après avoir déterré ce crâne, Connie ?

— Eh bien, j'en ai déterré un autre.

95.

Connie se tamponna le coin des yeux à l'aide d'un mouchoir et reprit le fil de son récit :

— Avec le deuxième crâne, ç'a été horrible. Je ne m'attendais pas qu'il soit... Comment dire... ? Dans un tel état. C'était vraiment répugnant. Mais je devais réaliser mon projet et je me suis armée de courage. J'ai envisagé ça comme une forme d'archéologie anthropologique.

— Le terme est approprié, observai-je.

— Vous trouvez ?

— Oui.

Je m'abstins de préciser qu'en l'occurrence on aurait plutôt dû parler d'altération des éléments de preuve.

Connie poursuivit en expliquant qu'elle avait placé ces « ignobles restes » sur le patio, et qu'elle était ensuite retournée chercher le premier crâne. C'est à ce moment-là que son idée avait fini de prendre forme.

— Je suis allée chez moi pour prendre les deux cartes de visite. Je tenais une idée vraiment géniale, avec un côté très théâtral, mais j'avais peur de retourner dans le jardin.

» Je me disais que ce que je faisais pouvait me causer des ennuis, parce qu'il y avait préméditation, mais j'étais incapable de m'arrêter. J'ai vu les chrysanthèmes ; ils étaient d'une telle blancheur. J'en ai cueilli quelques-uns et j'ai confectionné une guirlande que j'ai disposée autour des crânes. (Elle joignit le geste à la parole en décrivant un large cercle avec ses bras.) Après ça, j'ai commencé à me sentir mieux. Je me sentais même comme transportée de joie.

— Vous étiez sous le coup de l'excitation.

— Oui, c'est exactement ça. Et puis je voulais attirer l'attention sur les victimes, vous voyez ? Alors j'ai inscrit les nombres sur les cartes. En faisant ça, je savais que les médias parleraient de cette histoire. Je dois dire que c'était assez malin de ma part.

— Il s'agissait d'un code, n'est-ce pas ?

— Vous brûlez, lança Connie avec un grand sourire.

— La numérologie. Le chiffre six.

— Bien joué ! s'écria-t-elle en applaudissant.

L'espace d'un instant, je revis la femme qui avait effectué une pirouette dans son appartement.

— Vous vouliez donc que la police remonte jusqu'à vous ?

— Oui ! Je voulais que la police découvre l'assassin, et devenir ainsi l'héroïne qui avait permis aux enquêteurs d'élucider l'affaire. Il me fallait des détails réalistes pour mon livre. Je compte l'intituler *La Onzième et Dernière Heure*, parce que le crime n'y est résolu qu'au tout dernier moment. En revanche, je ne m'attendais pas à me retrouver inculpée.

— Pour résumer, vous avez déterré ces crânes et laissé de faux indices derrière vous afin que la police vous retrouve ?

— J'ai commis des crimes ?

Je hochai la tête d'un air grave dans le but de l'effrayer, mais à vrai dire, elle n'était pas coupable de grand-chose. Violation de propriété. Falsification de preuves. Ne pas dénoncer un crime à la police n'était pas illégal.

— Vous voyez bien que je coopère, fit Connie. Je n'ai même pas fait appel à un avocat. Vous ne pouvez vraiment pas m'aider ?

— Qui était ce mystérieux jardinier nocturne ? demanda Conklin.

— Je l'ignore. Je l'espionnais derrière mon rideau au sixième étage, et il faisait toujours sombre. Je vous le dirais si je le savais.

— Qui vient vous ravitailler chez vous ? demandai-je.

— Nicole me dépose les courses au bas des marches. C'est ma voisine, une jeune femme charmante.

— Je vais voir s'il est possible de vous faire libérer, fit Conklin. Mais si c'est le cas, vous aurez interdiction de quitter votre domicile.

— Ne vous inquiétez pas. Je suis du genre casanier. Sans compter que j'ai du travail qui m'attend avec l'écriture de mon roman.

96.

Assis au bord de son lit, Will Randall venait d'envoyer un texto à Jimmy Lesko depuis un téléphone à carte. Il avait signé du nom de Buck Barry, l'un des clients de Lesko, un type très prudent, gros consommateur de drogue.

La réponse de Lesko ne traîna pas, et un rendez-vous fut conclu pour 23 heures dans une rue mal famée du quartier de Lower Haight. « Barry » avait l'intention d'effectuer un gros achat de cocaïne.

Mais, au lieu de lui rapporter de l'argent, la transaction risquait de coûter cher à Lesko. Très cher.

Will éteignit le téléphone et se pencha pour embrasser Becky.

— Je t'aime, lui murmura-t-il au creux de l'oreille.

Il déposa une enveloppe sur la table de chevet. Elle contenait une feuille sur laquelle il décrivait le double jeu de Chaz Smith et la façon dont ce dernier avait profité de son statut d'agent infiltré. Il éteignit la lumière et se rendit dans la chambre de Link.

Il resta un moment près du lit à regarder son fils dormir d'un sommeil agité.

Son petit garçon.

Link aurait dû être en train d'étudier à Notre-Dame. Il aurait facilement décroché une bourse. Il aurait dû être en train de s'amuser avec des jeunes de son âge, de draguer des filles. Il y avait tant de choses qu'il aurait dû être en train de faire et qu'il ne ferait jamais, dans un monde qui lui resterait totalement étranger.

Will déposa un baiser sur son front puis descendit à l'étage principal. Il ouvrit la porte de la chambre des filles. Chaque lit était recouvert d'un édredon cousu à la main, et une peinture représentant un paysage champêtre décorait les murs.

Il ramassa les peluches qui traînaient par terre et les posa sur le lit de Mandy, qu'il embrassa, ainsi que Sara, sa sœur jumelle. Sara se retourna et ouvrit les yeux :

— Je rêvais que je volais, papa.

— Comme un oiseau, ou comme un avion ?

— Comme une fusée !

— C'était rigolo ?

— Oh oui. Je crois que je vais me rendormir...

Will remonta la couverture sur ses épaules :

— Sois prudente, princesse.

Il se rendit ensuite dans la chambre des garçons, de l'autre côté du couloir.

Le hamster était occupé à courir dans sa roue. Les deux poissons rouges l'observaient fixement, presque immobiles au milieu des bulles qui s'échappaient du plongeur en céramique, au fond du bocal.

Willie dormait sur le ventre, mais Sam, qui était éveillé, attrapa fermement la main de Will.

— Que se passe-t-il, fiston ? lança Will en s'asseyant sur le lit à côté de lui.

— Tu sors ?

— Oui. Je vais aller mettre de l'essence dans la voiture. Comme ça, demain matin, je pourrai partir directement au travail.

— Tu me rapporteras une surprise ?

— Si je peux, oui.

— Je voudrais une moto. Une Harley. Toute noire.

— Aucun problème.

— C'est vrai ?

— Tu ne préférerais pas plutôt un gros gâteau au chocolat ?

— D'accord. Ça me va aussi.

Sam était vraiment un négociateur dans l'âme.

— Allez. Dors, maintenant. Il est tard.

Will embrassa son plus jeune fils, quitta la chambre pour se diriger vers l'entrée et s'arrêta en chemin pour discuter avec Charlie, installé dans son fauteuil pour regarder les infos.

— C'est toi, Hiram ?

— Non, Charlie. C'est Will, le mari de Becky. J'ai quelque chose pour vous.

— Ah oui ? De quoi s'agit-il ?

— D'une chaleureuse poignée de mains.

Charlie éclata de rire tandis que Will lui secouait doucement la main.

— Vous êtes un type bien, Charlie Bean. À plus tard.

— À plus tard, Hiram. Je vais t'attendre avant d'aller me coucher.

En descendant au garage, Will songea à ce qui l'attendait cette nuit-là. Il décrocha sa veste du portemanteau, l'enfila puis sortit son arme cachée dans la boîte à outils près des pots de peinture. Il enveloppa le pistolet dans un sac plastique, fourra le tout dans la poche intérieure de sa veste, s'empara d'une lampe torche et quitta sa maison par la porte de derrière.

Will savait que les flics surveilleraient la voiture de Becky sur Golden Gate Avenue. Il prit donc soin de marcher du côté le plus sombre de la rue. Une voiture banalisée était garée au coin de Scott Street ; deux types étaient assis à l'avant.

Will baissa la tête au moment de passer devant eux puis poursuivit son chemin en direction du sud jusqu'à arriver au niveau d'une Impala gris métallisé, visiblement un modèle de 2006.

La portière était ouverte ; Will monta à bord et éteignit aussitôt la lumière du plafonnier. Il mit environ cinq minutes à ôter la plaque protégeant les fils de contact. Heureusement, le moteur démarra du premier coup et le réservoir était presque plein.

La situation devenait de plus en plus risquée, mais Will avait déjà franchi le point de non-retour.

Cette soirée, il l'attendait depuis maintenant trois mois. Il allait enfin prendre sa revanche. Il déboîta et se mit en route vers le quartier de Lower Haight.

97.

Jimmy Lesko dormait lorsqu'il avait reçu le message pressant de Buck Barry, et même si ça le gonflait de devoir sortir, il ne pouvait pas se permettre de passer à côté d'une grosse rentrée d'argent.

Il gara son 4 × 4 flambant neuf sur Haight Street, une artère commerçante bordée de maisons victoriennes aux façades défraîchies. Elles apparaissaient toutes plus ou moins grises à cette heure de la nuit, et se confondaient avec les bâtiments en béton de style industriel, les bars, commerces et autres immeubles résidentiels qui s'alignaient le long de la rue.

Assis derrière le volant, Lesko surveillait l'entrée du Finnerty's, un bar situé entre Steiner Street et Fillmore Street, connu pour ses hamburgers géants et ses bières bon marché. Buck devait l'attendre dans les toilettes pour hommes d'ici cinq minutes.

Étudiant en cinéma, Lesko avait abandonné la fac prématurément. Ancien protégé de feu Chaz Smith, il était connu pour vendre de la poudre de qualité, bénéficiait d'une protection policière, et parfois, lors de soirées comme celle-là, il parvenait à se faire pas mal de fric.

Lesko prévoyait une transaction rapide, et un retour chez lui tout aussi rapide. Tant mieux, car une charmante étudiante en médecine l'attendait dans son lit. Il consulta une dernière fois sa montre et quitta sa voiture, dont il verrouilla les portières à distance.

Il traversait la rue lorsqu'il entendit quelqu'un l'appeler derrière lui.

En se retournant, il vit un homme remonter le trottoir. Cheveux bruns, la quarantaine, le type affichait un grand sourire.

— Jimmy ! Jimmy Lesko…

— On se connaît ? demanda Lesko lorsque l'homme fut à sa hauteur.

— Je suis William Randall, répondit l'autre.

Lesko fouilla dans sa mémoire. Le nom, le visage ne lui disaient rien. Il était pourtant physionomiste.

— Que voulez-vous ?

— J'aimerais que tu jettes un coup d'œil là-dessus.

Will sortit la main de la poche de sa veste. Il tenait quelque chose de bizarre. Un sac plastique qui semblait contenir un flingue.

Putain, un flingue !

Jimmy recula d'un pas, mais il était encerclé par un flot de piétons avinés d'un côté, et de l'autre par les voitures garées le long du trottoir. Il tenta de sortir son arme, coincée sous sa ceinture à l'arrière de son jean, mais cet enfoiré de Randall l'avait bloqué contre une bagnole et l'empêchait de bouger. Randall plaça la gueule de son pistolet contre son front.

Lesko leva les mains. Il lâcha ses clés et pissa dans son froc.

C'est quoi ce bordel ?

Pourquoi personne autour ne réagit ?

— Vous voulez quoi ? hurla Lesko. Hein ? Dites-moi ce que vous voulez, putain !

— Je suis le père de Link Randall. Le nom te dit quelque chose ? Peu importe, à vrai dire. Tu as ruiné la vie de mon fils. Et maintenant, c'est moi qui vais ruiner la tienne.

98.

Au moment où Will Randall pressa la détente, il fut bousculé par un clochard titubant affublé d'un manteau de femme, qui s'agrippa à son bras pour ne pas perdre l'équilibre :

— Whooaaa ! beugla l'homme.

Le tir partit en l'air, et Lesko profita de la confusion pour s'enfuir.

Empoignant le clochard par le col, Will le projeta de côté et visa de nouveau Lesko. Mais Jimmy était à présent une cible mouvante dans la nuit. Courant comme en plein match de football, il percuta un couple d'ados et fonça dans une vieille SDF qui trimballait un Caddie. La vieille chuta et resta allongée par terre, bras et jambes écartés. Le contenu de son Caddie se déversa sur le sol, bloquant le passage à Lesko.

Obligé de la contourner, Jimmy bondit sur les marches menant au porche d'une maison. Parvenu en haut, il fit volte-face, s'accroupit et tira à travers la rambarde en fer forgé.

Will courut se réfugier derrière une camionnette et tira plusieurs fois en direction de Lesko, mais ce dernier riposta par un feu nourri. Randall se rendit compte qu'il allait être obligé de le tuer à bout portant.

Au milieu des piétons affolés, il s'élança vers l'escalier, mais un crissement de pneus se fit entendre derrière lui.

— Plus un geste, Randall ! Posez votre arme. Je répète, posez votre arme immédiatement !

Will tourna la tête et vit plusieurs flics qu'il connaissait. Il y avait le blond au catogan – Brady. Et puis les deux autres, Conklin et Boxer, qui l'avaient amené au palais de justice pour l'interroger.

Comment l'avaient-ils retrouvé ?

Ils devaient être dans la voiture banalisée garée sur Golden Gate Avenue. Ils avaient dû le voir passer et décider de le suivre.

Des cris montaient de chaque côté de la route. Lesko qui appelait à l'aide. Des piétons effrayés. Des flics qui beuglaient : « Lâche ton arme ! Mains en l'air ! »

Will se tourna vers eux et agita son pistolet en criant :

— Je sais parfaitement ce que je fais. Barrez-vous ! Ne m'obligez pas à tirer.

— Lâche tout de suite ton arme ! lança un flic en uniforme.

Ils ouvrirent le feu.

Will ressentit un impact au niveau de son épaule. Un flot d'adrénaline l'envahit. C'était eux qui avaient tort. Pas lui. Il leur avait demandé de foutre le camp.

Fou de rage, il riposta en tirant à plusieurs reprises en direction des policiers.

— Un officier à terre ! hurla quelqu'un.

Tout se déroulait si vite. Will sentit son sang s'écouler en même temps qu'il comprenait, avec une clarté presque apaisante, qu'il ne sortirait pas vivant de cette fusillade. Mais, avant ça, il devait finir ce pour quoi il était venu.

Lesko, de son côté, était à court de munitions. Après avoir vainement pressé la détente de son pistolet, il poussa un juron et jeta son arme.

Will s'engagea dans l'escalier et s'avança vers le jeune dealer, dont les vêtements luxueux étaient à présent imbibés de sang. Jimmy leva les mains en l'air en reculant vers le mur de la maison.

— Vous vous trompez de personne, s'écria-t-il, les veines du cou et du front saillantes. Je m'appelle Jimmy Lesko. Je ne vous connais pas. On ne s'est jamais vus.

— Je suis désolé pour ton père, répondit Will. C'est tout ce que j'ai à dire.

Il tira deux coups dans la poitrine de Lesko, puis, son arme à la main, pivota sur ses talons. Une balle l'atteignit en plein ventre. Ses jambes se dérobèrent sous lui.

Il s'effondra face contre terre et perdit peu à peu connaissance.

Il y eut des éclats de lumière. Des images floues. Des voix flottaient autour de lui.

Il avait descendu Jimmy Lesko.

Oui. Il en était certain. Presque certain...

99.

Lorsque le téléphone sonna, Cindy était assise à la table en demi-lune installée dans un coin du salon – son « bureau à domicile » comme elle aimait à l'appeler. Elle jeta un coup d'œil à sa montre et décrocha le combiné.

— Mademoiselle Thomas ? Inspecteur May Hess, du service des communications radio. J'ai un message pour vous de la part du sergent Boxer. Il y a eu une fusillade et vous devez vous rendre immédiatement au Metro Hospital.

— Oh, mon Dieu ! C'est Richard Conklin ? Il est blessé ? Je vous en supplie, dites-moi que ce n'est pas lui.

— Malheureusement, je n'en sais pas plus.

— S'il y a un blessé, elle a bien dû vous dire de qui il s'agissait...

— Mon rôle consiste uniquement à vous transmettre le message. Je n'ai pas d'autres informations.

Cindy sentit son esprit vaciller un instant, mais elle se força à se ressaisir. Elle appela un taxi, enfila un manteau par-dessus sa tenue de jogging, et se précipita dans l'escalier.

Sur le trottoir, elle fit les cent pas devant son immeuble et tenta de joindre Richie sur son portable, laissant un message chaque fois que le répondeur se déclenchait.

Le taxi arriva au bout de cinq minutes qui lui semblèrent durer cinq heures.

— Au Metropolitan Hospital, hurla-t-elle au chauffeur par la vitre entrouverte. C'est une urgence.

Elle se jeta sur la banquette arrière et claqua la portière.

La voiture démarra et Cindy tâcha de se remémorer sa dernière conversation avec Rich. Dans son souvenir, cet échange s'était terminé par une phrase du genre : « Pas maintenant, chéri. J'ai du boulot. »

Qu'est-ce qui clochait chez elle ?

Son corps était parcouru de frissons ; l'instant d'après elle étouffait. Elle imaginait déjà Richie paralysé, ou même agonisant. Non, elle ne pouvait pas le perdre.

Cindy ne priait pas souvent, mais, ce jour-là, elle en ressentit le besoin.

Mon Dieu, je vous en supplie, faites que Richie n'ait rien.

Le chauffeur restait silencieux ; il connaissait parfaitement la route. Il s'engagea dans Judah Street, passa devant le UCSF Medical Center puis traversa le quartier du Castro et Market Street en direction de Valencia Street.

Perdue dans ses pensées, Cindy ne revint à la réalité qu'au moment où le taxi franchissait une entrée latérale de l'hôpital.

— Ce sera plus rapide si je vous dépose ici, fit le chauffeur. La 22e est complètement bouchée.

C'est à ce moment-là que Cindy se rendit compte qu'elle avait oublié son porte-monnaie et son portefeuille. Elle n'avait sur elle que son téléphone.

— Donnez-moi votre nom, je vous enverrai un chèque et un bon pourboire. Promis.

— O.K., fit le chauffeur avant de se raviser. Non, écoutez. Laissez tomber. Ça ne fait rien. Bonne chance.

Cindy s'était souvent rendue dans cet hôpital. Elle traversa le hall d'entrée, passa devant les ascenseurs, descendit le long couloir qui desservait les salles de radiologie et déboucha au niveau de la cafétéria. De là, elle suivit les flèches indiquant la direction des urgences.

La salle d'attente, peinte en beige sale, était pleine à craquer de personnes présentant toutes sortes de blessures. Elle trouva Yuki recroquevillée sur une chaise dans un coin de la pièce. Cindy l'appela de loin ; Yuki se jeta dans ses bras et se mit à sangloter en marmonnant des paroles incompréhensibles.

— Que s'est-il passé, Yuki ? Richie va bien ? Réponds-moi, il va bien ?

100.

Je n'avais jamais connu une nuit pareille. J'avais eu l'impression de me retrouver sur un véritable champ de bataille, avec des balles fusant de toutes parts dans un déluge de détonations.

Le propriétaire d'un magasin, un homme âgé de soixante ans, était tombé à mes pieds ; il était mort sur le coup, sans un mot.

Un dealer avait été exécuté à bout portant par un policier qui s'était mué en justicier solitaire assoiffé de vengeance. D'autres policiers avaient été blessés au cours de cet affrontement, et parmi eux des amis et mon coéquipier.

De mon côté, je m'étais vue contrainte de faire usage de mon arme pour tuer.

C'était peut-être moi qui avais abattu Randall.

Je sortis de la salle des urgences et trouvai Cindy, Claire et Yuki blotties les unes contre les autres dans la petite salle d'attente. Abasourdie, Cindy semblait avoir pris un coup sur la tête. Yuki avait les yeux rougis et l'air égaré, comme perdue dans son monde intérieur.

Claire, elle, affichait le visage fermé d'une personne qui n'a pas dormi depuis plus de vingt-quatre heures et n'a pas encore réussi à trouver son second souffle.

Mes vêtements étaient couverts de sang. Je n'étais pas blessée physiquement, mais sur le plan psychologique j'étais au plus mal. Je devais sûrement faire peur à voir.

M'apercevant, Yuki bondit de sa chaise :

— Alors ? Ils t'ont dit quoi ?

Brady avait reçu une balle dans le poumon et une autre dans la cuisse. Cette seconde balle avait touché une artère, mais, heureusement, les secours étaient vite arrivés sur place. Pour autant, l'état de Brady était jugé sérieux. Il avait perdu beaucoup de sang.

— Il est en salle d'opération. Claire, tu connais le docteur Miller ?

— Boyd Miller ?

— Oui.

— Miller est un excellent chirurgien, fit Claire en se tournant vers Yuki. Le meilleur.

— On m'a dit que son pronostic vital était engagé…

— Il est costaud, Yuki, tenta de la rassurer Claire. Et puis il est jeune.

Conklin entra à cet instant dans la salle d'attente, le bras gauche en écharpe. Cindy se précipita vers lui et il l'enserra de son bras valide. Les deux restèrent longtemps enlacés, puis Conklin déposa un baiser sur ses cheveux et se tourna vers moi :

— J'ai conduit la femme de Randall à la chapelle.

Je quittai la salle d'attente et descendis le couloir en direction de la chapelle, un lieu sinistre qui tentait d'apporter un peu de réconfort aux familles avec un budget plus que réduit. Un autel œcuménique était éclairé par des lumières douces, et des paroles apaisantes avaient été inscrites sur les murs.

Becky Randall était assise sur un banc avec une petite fille sur les genoux. Trois autres enfants se serraient contre elle. Elle se leva en me voyant entrer.

— Willie, je te confie ton frère et tes sœurs.

Nous quittâmes la chapelle pour nous rendre dans le couloir.

— Personne ne m'a rien dit, sergent. Je vous en supplie, expliquez-moi ce qui s'est passé. Je veux tout savoir.

Lui expliquer tout ?

Je ne connaissais pas moi-même tous les détails, et ce dont j'étais au courant, je me devais de le restituer en y insufflant la compassion qu'imposait ce genre de circonstance.

Comment lui dire que son mari avait, selon toute vraisemblance, abattu plusieurs personnes avant de descendre Chaz Smith dans les toilettes d'un établissement scolaire, à quelques mètres d'une centaine d'enfants ? Comment lui dire qu'après l'exécution de Chaz Smith, il avait assassiné d'autres hommes, et qu'à cause de lui le lieutenant Brady risquait de perdre la vie ?

Comment lui dire enfin que, parmi les cinq balles qui s'étaient logées dans le corps de son mari, plusieurs provenaient probablement de mon arme de service ?

Will Randall était vivant, mais les médecins l'avaient placé sous assistance respiratoire. S'il survivait à ses blessures, il allait devoir répondre de plusieurs homicides.

La vie telle qu'il l'avait vécue jusqu'ici appartenait désormais au passé.

— Tout à l'heure, votre mari a abattu un trafiquant de drogue. Un certain Jimmy Lesko. Ce nom vous évoque-t-il quelque chose ?

— Rien du tout. Pourquoi lui a-t-il tiré dessus ? C'était sûrement de la légitime défense.

Une heure plus tard, tout ce que j'avais appris en parlant avec Becky Randall, c'était qu'elle ignorait la vie secrète de son mari et qu'elle refusait même d'admettre qu'il ait pu en avoir une. Je me remémorai une nouvelle fois ce que m'avait dit Joe quelques jours plus tôt :

Peut-on jamais vraiment connaître qui que ce soit ?

Je ne suis pas près d'oublier cette heure passée dans le couloir, devant la chapelle. Les enfants s'amusaient à glisser en chaussettes sur le lino, réclamaient des pièces pour acheter des friandises dans le distributeur automatique, jouaient avec les fauteuils roulants tandis que leur mère, sous le choc, tentait de comprendre ce qui lui arrivait.

— Will est un mari formidable, me dit-elle. Un homme honnête. Que se passera-t-il s'il meurt ?

101.

La télévision était allumée dans la salle d'attente.

À l'écran, vêtu d'un élégant costume, Jason Blayney se tenait devant le Metropolitan Hospital et relatait face à la caméra les événements survenus un peu plus tôt sur Haight Street.

Il s'exprimait sur un ton péremptoire. Il donnait l'impression de maîtriser parfaitement son sujet, mais, comme à son habitude, ne sachant pas ce qu'il s'était réellement produit, il inventait.

Selon lui, les flics avaient débarqué dans Haight Street et aussitôt ouvert le feu.

— William Randall, policier au sein de la brigade des mœurs depuis une dizaine d'années, poursuivait un petit trafiquant de drogue répondant au nom de Jimmy Lesko, et qui, selon les témoins, ne portait pas d'arme. Randall lui a tiré dessus sans sommation, et a continué jusqu'à ce que le jeune homme s'écroule, mort.

» Prévenus de la fusillade, les hommes de la criminelle se sont tout de suite rendus à Haight Street, où ils ont commencé à tirer sur tout ce qui bougeait.

» Grièvement blessé lors de ces échanges de coups de feu, le sergent Randall a été transporté au Metropolitan Hospital et se trouve actuellement entre la vie et la mort.

» Une victime innocente est par ailleurs à déplorer. Il s'agit de Nicholas Kiernan, âgé de soixante-deux ans et père de trois enfants. Pris entre les tirs croisés, il a reçu une balle perdue alors qu'il se trouvait sur le pas de sa porte. Il est mort sur le coup.

» Deux autres policiers ont été blessés lors de cette intervention tragique. Le lieutenant Jackson Brady, qui dirige la Southern District Homicide Division, et l'inspecteur Richard Conklin. Tous deux se trouvent actuellement en salle d'opération. Leur pronostic vital est engagé.

» Un épisode honteux pour la police de San Francisco, dont les hommes feraient bien de retourner prendre quelques leçons de tir.

Je venais d'assister à ce que Blayney était capable de produire de pire en matière de journalisme racoleur. À aucun moment dans son intervention il n'avait mentionné le fait que Randall s'était lancé dans une croisade solitaire contre les dealers de la ville. Il n'avait pas non plus précisé que la police avait tiré sur lui uniquement parce qu'il avait refusé de lâcher son arme.

Je m'emparai de la télécommande et éteignis le poste.

Randall se trouvait encore en salle d'opération, et, d'après les informations que j'avais pu recueillir, il avait peu de chances d'en ressortir vivant. Le diagnostic concernant Brady n'avait rien non plus de très optimiste. Tandis que les chirurgiens s'appliquaient à tenter de le sauver, nous lui adressions nos prières depuis la salle d'attente.

Aux alentours de 2 heures du matin, Cindy et Rich rentrèrent se coucher et Claire accepta que je la raccompagne jusqu'au parking. Elle me fit promettre de l'appeler dès que Brady sortirait de la salle d'opération.

Yuki et moi restâmes assises l'une à côté de l'autre, entourées par plusieurs hommes de la brigade venus nous apporter leur soutien. Le lieutenant Meile débarqua en civil et s'excusa auprès de moi devant toute l'assemblée :

— Je suis désolé pour toutes les choses que je vous ai dites, sergent. Et aussi pour deux ou trois phrases que vous ne m'avez pas entendu prononcer. Je suis peut-être complètement con, mais je croyais dur comme fer à l'innocence de Will Randall. J'espère qu'il ne mourra pas avant de m'avoir expliqué comment il en est arrivé là. J'ai vraiment besoin de savoir.

102.

J'oubliai bientôt Will Randall.

Mes pensées étaient tout entières dirigées vers Brady. Blottie contre Yuki, je me remémorai les souvenirs issus des quelques mois que nous avions passés à travailler ensemble.

J'avais fait sa connaissance lors de son premier jour au sein de la brigade. Je l'avais tout de suite repéré, assis sur une chaise pliante au fond de la salle, avec son regard sévère et son visage tanné par le soleil.

Je m'étais levée pour faire le point avec l'équipe sur une enquête en cours. Une affaire compliquée : un déséquilibré venait d'abattre une mère et son enfant en laissant derrière lui un énigmatique message.

J'avais beau patauger depuis le début, je n'en avais pas moins exposé avec aplomb les maigres éléments dont je disposais.

À la fin de la réunion, Brady s'était présenté à moi. Il venait du Miami Police Department et devait intégrer notre brigade de manière provisoire. Au moment d'aborder l'affaire, il m'avait laissée entendre que, malgré mon petit speech, il voyait bien que l'enquête piétinait.

Cette entrée en matière pour le moins abrupte n'avait pas spécialement aidé à rompre la glace. Mais quelques jours plus tard, lors d'une confrontation avec le tueur, après l'explosion d'une bombe destinée à créer une diversion, ce dernier avait cherché à prendre la fuite en voiture. Brady n'avait alors pas hésité à se placer devant le véhicule et à tirer dans le pare-brise pour tenter de l'abattre.

Sa bravoure m'avait impressionnée.

Sans pour autant me faire oublier l'antipathie que j'éprouvais à son égard.

Lorsque Brady avait commencé à sortir avec Yuki, j'avais ressenti une vive inquiétude. Yuki est une battante, mais, avec les hommes, sa faculté de jugement se trouve passablement altérée, et je la voyais mal s'engager dans une relation avec un cow-boy tel que Brady.

Je craignais qu'il ne lui fasse du mal.

Et puis je les avais vus ensemble.

Je me souvenais d'eux, lors d'une soirée chez Claire, hilares, se poursuivant dans le jardin comme deux gosses. Brady se montrait tendre envers Yuki. Et elle le faisait rire. Chacun faisait ressortir ce qu'il y avait de mieux chez l'autre et cela avait joué en sa faveur.

Mais je n'avais pas oublié qu'il n'était pas encore divorcé de sa femme, qui vivait toujours en Floride. Je n'avais pas oublié qu'il était mon supérieur et que je n'appréciais guère sa façon de diriger la brigade.

Et je n'avais pas non plus oublié les soupçons qu'il avait nourris à l'encontre de Jacobi. Il allait devoir s'en excuser, et j'espérais sincèrement qu'il survivrait pour pouvoir le faire.

Je levai la tête lorsque le docteur Boyd Miller arriva à la porte de la salle d'attente. Il avait une petite trentaine d'années, le crâne dégarni, des lèvres minces, et son visage grave ne laissait présager rien de réjouissant.

— J'aimerais parler à madame Brady, fit-il.

— Je suis sa compagne, répondit Yuki.

— Jackson Brady est mon supérieur hiérarchique, expliquai-je. J'étais présente lorsqu'il a reçu une balle. Comment va-t-il ?

Je m'attendais à ce qu'il nous dise qu'il pouvait s'adresser uniquement à la famille immédiate de Brady.

— Nous avons réussi à réparer son artère fémorale, et l'état de son poumon ne nous inspire plus d'inquiétude. En revanche, il a deux côtes cassées, et nous n'allons pas pouvoir faire grand-chose pour y remédier. On vient de le transporter en unité de soins intensifs. Je suis tout à fait confiant. Mais, officiellement, son pronostic vital est toujours réservé.

— Je peux le voir ? demanda Yuki.

— Pas encore. Je viendrai vous chercher quand ce sera possible.

Il était presque 5 heures du matin lorsqu'on annonça à Yuki qu'elle pouvait aller voir Brady à travers la vitre.

À son retour dans la salle d'attente, elle affichait un visage détendu. Elle s'assit à côté de moi et prit ma main dans la sienne.

— Il va s'en sortir, Lindsay. Ma mère me l'a affirmé. Et elle l'apprécie, maintenant. Elle m'a dit que c'était quelqu'un de bien.

— Tant mieux, fis-je en hochant la tête.

J'avais fini par accepter le fait que Yuki s'entretenait régulièrement avec sa défunte mère. D'ailleurs, c'était peut-être vrai.

— Ta mère a souvent raison, Yuki.

— Ça tombe bien que tu dises ça, parce qu'elle a ajouté qu'il était grand temps que tu ailles te reposer.

103.

Claire tourna pour s'engager sur le parking d'Harriet Street et se gara sur son emplacement réservé, où son nom était peint en lettres blanches. Il était plus de 10 heures du matin, et c'était la première fois de l'année qu'elle arrivait en retard à son travail.

La salle d'accueil de l'institut médico-légal était en ébullition : la nouvelle réceptionniste aux grands yeux noisette jonglait avec les différents téléphones, les coursiers allaient et venaient, les flics tournaient en rond en attendant une balle ou une autre preuve médico-légale à apporter au labo.

Claire adressa un petit geste de la main à la réceptionniste et ouvrit la porte vitrée de son bureau. Elle accrocha sa veste au porte-manteau, déposa son énorme sac dans un coin de la pièce et s'installa dans son fauteuil.

Elle était en train de composer le numéro de Lindsay lorsque la fille aux yeux noisette frappa à la porte et entra munie d'un paquet.

— Ceci vient juste d'arriver, docteur Washburn. C'est écrit « urgent ».

Claire prit le paquet et lut l'adresse de l'expéditeur. Il provenait d'Ann Perlmutter, l'anthropologue judiciaire de l'université de Santa Cruz.

Elle ouvrit le rabat à l'aide d'un scalpel et découvrit six disques rangés dans leur boîtier. Ils étaient accompagnés d'une lettre.

Désolée d'avoir été si longue, Claire.
Appelle-moi si tu as des questions.
Ann

Claire inséra l'un des disques dans le lecteur de son ordinateur. L'image d'une femme apparut sur l'écran, si vivante qu'on aurait pu croire à une photographie – il s'agissait en réalité d'une reconstitution faciale en 3D réalisée à partir des crânes déterrés dans le jardin de la résidence Ellsworth.

Cette technologie informatique relevait presque du miracle, et Claire savait le temps, la minutie et le talent nécessaires à un tel travail.

Une représentation tridimensionnelle de chaque crâne avait été effectuée à l'aide d'un scanner laser afin de générer une matrice dite *wireframe*. Des informations issues de tomodensitométries réalisées sur des personnes vivantes y avaient été ajoutées, et l'ensemble de ces données avait ensuite été rentré dans un logiciel qui les avait mises en relation pour façonner un visage correspondant à chacun des crânes.

Les six crânes déterrés à Ellsworth avaient maintenant tous un visage. Ils n'étaient peut-être pas fidèles à cent pour cent, mais ils permettaient néanmoins de se faire une idée assez précise de ce à quoi avaient pu ressembler ces personnes.

Le visage affiché sur l'écran de Claire avait été appelée ANONYME 1. La femme possédait des yeux ronds, un front large, un nez fin et de longs cheveux ondulés.

Dans la vraie vie, cette anonyme avait eu une famille, et Claire espérait qu'elle aurait bientôt une identité.

104.

Le docteur Andrea Shaw entra dans la salle d'attente juste avant le lever du soleil. C'était une petite femme au sourire doux, aux cheveux gris ondulés.

— Jackson est tiré d'affaire, annonça-t-elle à Yuki. Il demande à vous voir.

Le visage de Yuki s'illumina. C'était comme si toutes les étoiles s'étaient donné rendez-vous dans le ciel pour danser le tango avec le soleil et la lune.

Elle serra le docteur dans ses bras, la soulevant presque du sol, puis elle m'étreignit longuement et je sentis des larmes couler le long de mes joues.

— Allez. File le voir.

Quelques heures plus tard, après être passé chez moi pour me changer, je me retrouvai assise à mon bureau dans la salle de la brigade. Il était convenu que j'allais remplacer Brady jusqu'à la fin de sa convalescence. Toutes les lignes téléphoniques étaient saturées d'appels, mais lorsque je vis s'afficher le numéro de Claire, je décrochai aussitôt mon combiné.

— Brady est tiré d'affaire, fis-je sans même lui laisser le temps de dire ouf. Par contre, Randall est toujours dans un état critique.

— Super nouvelle pour Brady. Écoute, j'ai quelque chose qui devrait t'intéresser. On a enfin les visages des crânes déterrés à Ellsworth.

Je restai muette si longtemps que Claire se sentit obligée de répéter ce qu'elle venait de me dire. Je finis par comprendre. Ann Perlmutter avait fourni les résultats de son travail de reconstitution faciale. Nous allions enfin pouvoir identifier les victimes.

— Tu as lancé une recherche à partir du fichier des personnes disparues ?

— Il y a six visages, Lindsay, et le problème, c'est que je n'ai que deux mains et deux yeux.

— Ne bouge pas, j'arrive.

En l'espace d'une heure, Cindy, Yuki, Claire et moi avions chacune pris possession d'au moins un disque contenant les données de l'un des six visages. Cindy rentra chez elle ; Yuki se mit au travail sur son ordinateur portable depuis la chambre d'hôpital de Brady, et Claire et moi sur nos ordinateurs de bureau respectifs. Même séparés, les membres du Women's Murder Club étaient connectés par une mission commune.

J'introduisis le disque dans mon lecteur et fixai longuement le visage de l'anonyme numéro deux. Elle était belle, avec des cheveux bruns coupés court, des sourcils bien dessinés, des lèvres pleines. Je pressai la touche *Next* et découvris que le docteur Perlmutter avait fourni plusieurs variations de son visage, cela afin de prendre en compte la part de subjectivité qu'impliquait le processus artistique de création de l'image.

Elle nous avait facilité la tâche.

Pour autant, trouver une correspondance entre des images virtuelles et des personnes réelles représentait un travail énorme, avec une marge d'erreur importante.

Nous lançâmes une recherche à partir de diverses bases de données répertoriant les personnes portées disparues, notamment celles du FBI, du NamUs et du Doe Network. Avec succès.

C'était incroyable, presque magique.

Claire fut la première à obtenir un résultat positif : l'anonyme numéro un s'appelait Lina Rupert et avait vécu à Sioux Falls, dans le Dakota du Sud. Cindy, quant à elle, établit une correspondance avec une certaine Margaret Shubert, de Toronto. Les quatre autres victimes venaient de Chicago, New York, Omaha et Tokyo.

Nous partageâmes les images sur un Windows Cloud et dialoguâmes en chat pour comparer les notes que nous avions prises. Les victimes étaient d'âges variés – la plus jeune avait dix-huit ans, la plus vieille quarante-huit.

Aucune n'avait de casier, et aucune ne venait de San Francisco.

Hormis leur lieu de sépulture, que pouvaient bien avoir en commun ces six femmes ? Comment s'étaient-elles retrouvées côte à côte dans un cimetière « privé » de Pacific Heights ?

105.

Yuki était installée dans l'énorme fauteuil de la chambre d'hôpital de Brady. Il se réveilla brièvement, juste le temps de lancer, d'une voix molle : « Salut... Yu... ki. »

Il ajouta que les médicaments lui faisaient un effet bœuf et replongea aussitôt dans un profond sommeil.

Le téléphone sonna peu de temps après. À l'autre bout du fil, la femme se présenta comme étant Jennifer Brady, l'épouse de Jackson.

— Qui est à l'appareil ? demanda-t-elle ensuite.

L'espace d'une seconde, Yuki hésita à se présenter comme une infirmière, mais elle se ravisa au dernier moment.

— Yuki Castellano. Je... Je suis avec Jackson.

— Comment ça, vous êtes avec Jackson ?

— Eh bien... nous sortons ensemble.

Cette réponse fut accueillie par un long silence, rendu plus pesant encore par la respiration bruyante de Brady.

— Il va bien, Jennifer. Pour l'instant, il dort. Je lui dirai que vous avez appelé.

Yuki laissa retomber le combiné et l'observa un moment comme s'il s'agissait d'un porc-épic avant de le décrocher et de couper la sonnerie.

Elle salua l'infirmière qui entrait pour s'occuper de Brady puis retourna travailler sur son ordinateur portable, où l'attendait le dossier de l'anonyme numéro cinq, une jeune femme dont Yuki avait fini par découvrir l'identité – Hoshi Yamaguchi.

Yuki avait déjà entamé des recherches la concernant. Elle avait ainsi appris qu'elle était âgée de vingt ans au moment de sa disparition, qu'elle suivait à l'époque des cours d'histoire de l'art à Tokyo et qu'elle avait disparu lors d'un séjour touristique aux États-Unis quatre ans plus tôt.

Un membre de sa famille avait créé un site Web pour elle. Un portrait figurait sur la page d'accueil. Il y avait également une photo la montrant à la patinoire en compagnie de sa sœur. Les deux filles, en collants et doudounes bleues assorties, se tenaient la main en riant.

Yuki savait un peu lire le japonais et parvint à traduire la légende figurant sous la seconde photo.

Avez-vous vu ma sœur ?

Elle cliqua sur un lien qui afficha plusieurs messages rédigés par des amis de Hoshi, listés par ordre chronologique. Les premiers s'adressaient directement à Hoshi, lui demandant de donner de ses nouvelles. Les suivants imploraient toute personne l'ayant croisée de se manifester.

Un autre lien renvoyait vers des rapports de police et des avis de recherche, et une partie du site comportait d'autres photos de Hoshi.

Qu'était-il arrivé à cette charmante jeune femme ? Pourquoi avait-elle été tuée ? Et surtout, pourquoi sa tête avait-elle été enterrée à San Francisco ?

Yuki s'apprêtait à envoyer un message aux filles lorsqu'elle remarqua un lien tout en bas de la page. *Dernier message de Hoshi*, pouvait-on lire en japonais.

Yuki cliqua sur le lien et une vidéo s'ouvrit sur son écran. On entendait la voix d'une jeune femme s'exprimant en anglais tandis que la caméra filmait une vue de Vallejo Street.

— Alors tu vois, Kendra, je suis ici dans une très vieille rue, et cette maison, c'est la résidence Ellsworth, l'une des plus anciennes de la ville. Les gens viennent parfois de New York spécialement pour la voir. Elle a réchappé à l'incendie qui a suivi le tremblement de terre de 1906, et on m'a dit qu'elle renfermait de nombreux secrets.

L'image trembla légèrement, comme si la caméra changeait de mains, puis l'objectif se fixa sur la fille qui venait de parler. Elle se tenait devant un mur de brique percé d'un portail en fer forgé.

Cette personne n'était autre que Hoshi Yamaguchi.

— Le célèbre acteur Harry Chandler a vécu ici pendant dix ans, poursuivit Hoshi en s'amusant à parler comme une présentatrice de télévision. Il a été accusé du meurtre de sa femme, mais on m'a dit qu'il était innocent. Et je le crois, car tu sais que j'adore Harry Chandler.

La jolie Hoshi fit alors mine d'étreindre une personne imaginaire et minauda devant l'objectif.

— Je vais prendre quelques photos de la maison pour te les envoyer, dit-elle ensuite. Attends deux secondes.

Elle ajouta « Merci beaucoup » et tendit la main pour reprendre la caméra. La personne qui l'avait tenue jusque-là baissa vivement la tête et plaça sa main face à l'objectif. Il y eut une courte pause. La caméra venait manifestement d'être éteinte.

Les images reprenaient ensuite avec d'autres commentaires de Hoshi en fond sonore. Elle filmait la maison à travers le portail.

— C'est tout pour aujourd'hui, Kendra. Rendez-vous *online* !

Le film s'arrêtait là.

Yuki visionna une seconde fois l'enregistrement en songeant que Hoshi n'avait jamais revu son amie Kendra, que ce soit *online* ou en personne. Elle était presque certaine que Hoshi Yamaguchi avait visité Ellsworth lors du dernier jour de sa vie.

106.

Yuki posta la vidéo de Hoshi Yamaguchi et je la visionnai avec attention. On y voyait la fille se tenir devant un mur de brique dans Vallejo Street. Dans un coin de l'image, on apercevait l'arrière d'un bus touristique rouge.

L'une des victimes s'était donc rendue à un moment donné sur la scène de crime. Je sentis mes yeux s'emplir de larmes et mon cœur s'accélérer.

Cette maudite enquête allait peut-être enfin aboutir. Peut-être...

Graceland, écrivis-je dans la boîte de dialogue. *Neverland.*

Que veux-tu dire ? demanda Yuki.

Toutes les victimes ont-elles participé à une visite touristique de la résidence Ellsworth ?

Je vais appeler l'agence qui organise ces visites, répondit Yuki.

Plusieurs questions, écrivit Claire. *Si Hoshi a été tuée à Ellsworth, est-ce le cas pour les autres victimes ? Où ont eu lieu les meurtres ? Et où sont les corps ?*

Je visionnai une nouvelle fois la vidéo, cette fois en arrêtant l'image au moment où la caméra changeait de mains. Il y avait un gros plan sur le cou de Hoshi, et je remarquai qu'elle portait un collier avec un pendentif en améthyste. La pierre était montée sur une sertissure en or. J'aurais voulu hurler : « Regarde ça, Rich ! Je l'ai déjà vu, ce collier. Il fait partie des objets déterrés à Ellsworth. »

Mais mon coéquipier n'était pas là.

Je lui envoyai aussitôt un e-mail pour le tenir informé, puis m'enfermai dans ma bulle en espérant ne pas être dérangée par mes collègues.

La personne qui avait filmé Hoshi Yamaguchi n'en devenait pas automatiquement coupable de l'avoir tuée. Si l'on partait du principe que les victimes étaient toutes des touristes, les questions soulevées par Claire s'avéraient cruciales. Où les meurtres avaient-ils eu lieu ? Et où étaient passés les corps ?

J'ouvris mon navigateur pour chercher des plans d'Ellsworth. Je trouvai mon bonheur dans les archives de la San Francisco Historical Society.

Elles contenaient des vieux dessins, des ébauches de plans et des esquisses de la maison en chantier : chaque étage, sous-sol inclus, ainsi que le jardin et les bâtiments des communs sur Ellsworth Place.

Je fis parvenir ces documents aux filles, et tandis que Yuki se chargeait de contacter la compagnie Historic House Tour, Cindy, Claire et moi entreprîmes d'étudier les plans de la résidence Ellsworth. Ils avaient été élaborés en 1893 par Drake Ellsworth et son architecte.

Claire positionna son curseur sur le dessin du sous-sol, un vaste espace qui s'étendait sur la totalité de la surface de la maison principale.

Le lieu idéal pour commettre un meurtre en toute discrétion. Et si grand qu'il pourrait servir d'abattoir.

Ce sous-sol, je m'y étais rendue en compagnie de Charlie Clapper. Il abritait plusieurs générations de chaudières qui avaient été progressivement remplacées par du matériel plus moderne, mais sans être démontées.

Nous en avions exploré toutes les pièces. L'une d'elles renfermait des meubles. Une autre avait autrefois servi de garde-manger.

L'équipe de Clapper avait passé ce labyrinthe au peigne fin sans y déceler la moindre trace de sang, sans y dénicher le moindre indice ni le moindre outil qui nous aurait permis de faire le lien avec toute cette boucherie.

J'allais pourtant devoir leur demander d'entreprendre une nouvelle fouille.

107.

Chargée de superviser les opérations de la brigade pendant que Brady se remettait de ses blessures, j'organisai un grand déploiement auquel je conviai les hommes de la brigade et les techniciens de scène de crime.

Conklin refusa catégoriquement de rester dans son lit. J'allai donc le chercher en voiture à l'angle de Kirkham et de Funston Avenue, d'où nous prîmes la direction d'Ellsworth.

Je m'arrêtai devant le portail. La camionnette de Clapper arriva dans la foulée et se gara derrière moi. Je lançai un message aux véhicules de patrouille : l'ordre fut donné de quadriller et de boucler le quartier. Accompagnée de Conklin et de quatre autres hommes, je grimpai les marches menant à la porte d'entrée.

J'actionnai le heurtoir en cuivre, et Janet Worley nous ouvrit la porte. En nous voyant, elle agrippa le col de son chemisier blanc amidonné. La peur se lisait sur son visage.

— Nous sommes ici pour exécuter un mandat de perquisition, madame Worley, fis-je en lui tendant le document.

— Mais vous avez déjà fouillé...

— Nous devons recommencer.

— Très bien. Entrez.

— Nous voulons voir votre mari, embraya Conklin.

— Il travaille à l'étage. Jusqu'ici, il était de bonne humeur.

Je pénétrai dans le hall suivie de Conklin, Clapper et de trois techniciens de scène de crime. Suivant les directives de Charlie, nous nous dispersâmes à travers l'immense demeure.

Je me trouvais dans le hall avec Janet lorsque Nigel Worley descendit l'escalier, furibond.

— Qu'est-ce qui se passe encore ? aboya-t-il en me jetant un regard mauvais.

— Nous enquêtons sur des meurtres avec préméditation, monsieur Worley. Vous et votre épouse allez attendre dans la cuisine en compagnie de Conklin.

— Fait chier ! J'ai du travail, moi.

— Merci, monsieur Worley. Nous apprécions votre coopération.

Conklin prit le couple en charge et je descendis au sous-sol où je retrouvai Clapper et deux de ses hommes occupés à déballer leur matériel.

La lumière des plafonniers ne suffisait pas à éclairer la totalité de cet immense espace, mais ni le désordre ni l'obscurité ne nous décourageaient.

Nous effectuâmes notre fouille d'est en ouest, parallèlement à Vallejo Street, en utilisant une source de lumière alternative pour repérer d'éventuelles traces de substances organiques. Les techniciens qui s'étaient déployés aux étages supérieurs nous rejoignirent un à un au fur et à mesure que les heures s'écoulaient.

Je commençais à me demander si je ne m'étais pas fourvoyée en pensant que plusieurs meurtres avaient eu lieu dans ce sous-sol lorsque, aux alentours de 17 heures, en atteignant le mur du fond contre lequel s'entassaient jusqu'au plafond des cartons remplis de livres et des caisses de bouteilles vides, Clapper s'écria :

— Putain ! Comment j'ai pu rater ça ?

Je m'approchai de lui et vis que les piles de cartons ne touchaient pas vraiment le mur. L'illusion était parfaite, mais en regardant attentivement, on distinguait un léger espace. Une vieille porte coulissante était installée contre le « véritable » mur.

Clapper la poussa, révélant l'entrée d'une autre pièce, orientée dans un axe nord-sud parallèle à Ellsworth Place.

Un accès permettait donc de circuler en toute discrétion entre le sous-sol du bâtiment principal et celui du numéro 2.

108.

Je pressai le commutateur et la lumière s'alluma dans le sous-sol du numéro 2. Les techniciens entreprirent de photographier la pièce.

Elle faisait approximativement douze mètres de long sur neuf mètres de large, possédait un sol de terre battue et un plafond en brique. À ma gauche se trouvait une citerne d'environ trois mètres de large, sûrement utilisée par les anciens propriétaires pour recueillir l'eau de pluie qui ruisselait depuis les gouttières.

À ma droite, la chaudière, et au fond de la pièce, contre le mur situé du côté est, un congélateur, une machine à laver et un sèche-linge. Des étagères s'alignaient le long des murs, chargées de pots de peinture et d'outils divers et variés.

Charlie Clapper examina un moment la citerne, puis déclara :

— Il y a une échelle qui descend sur environ deux mètres, et j'aperçois un tuyau d'écoulement tout au fond. Tu peux éteindre la lumière, Lindsay ?

Je pressai à nouveau l'interrupteur et Clapper vaporisa l'intérieur de la citerne avec du luminol avant d'y projeter le faisceau de sa source de lumière alternative.

Il poussa un petit sifflement :

— Tu devrais voir ça, Lindsay !

Lorsque Charlie dit ce genre de choses, il faut généralement s'attendre à découvrir quelque chose de vraiment horrible.

L'intérieur de la citerne brillait d'un éclat phosphorescent, l'effet provoqué par la lumière noire sur le sang. Il était clair qu'une grande quantité y avait été déversée. Le tuyau accroché au bord de la citerne avait sûrement dû servir à nettoyer le plus gros, mais la présence de sang sur les parois était indéniable.

Des images s'imposèrent à mon esprit, les visages des sept femmes qui avaient probablement été tuées et démembrées dans ce sous-sol.

Je me tournai vers Clapper, mais il s'était mis à vaporiser du luminol sur les murs. Son assistant le suivait avec la SLA. Les traces de sang étaient abondantes, de même que les empreintes digitales.

Clapper ralluma la lumière, et, en observant la pièce, je remarquai, sur l'une des étagères, une nouvelle pièce de ce puzzle macabre.

Je m'approchai pour regarder de plus près : une scie circulaire sans fil était posée à côté d'un carton rempli de vieux flacons de médicaments. J'appelai un technicien et lui demandai de la photographier.

Claire m'avait expliqué que les victimes avaient été décapitées à l'aide d'une scie circulaire, et il n'y avait nul besoin d'un gros effort d'imagination pour savoir que la scie en question se trouvait là, juste sous mes yeux. Des traces de sang séché apparaissaient sur la lame ainsi que sur la poignée.

Clapper examina les flacons entreposés dans le carton.

— Jette un œil là-dessus, Lindsay.

Encore quelque chose d'horrible ? Je sentis le sol se dérober sous mes pieds.

— Ça va, Lindsay ?

Ça allait, mais mon bébé, en revanche, ne pouvait pas en dire autant.

— Dis-moi…

Il demanda à l'un de ses assistants de photographier les flacons, puis sortit deux objets du carton.

Le premier était un pistolet à impulsion électrique.

Le second un flacon étiqueté PENTOBARBITAL DE SODIUM.

— C'est un barbiturique que les vétérinaires utilisent pour euthanasier les gros animaux.

Je dus agripper le bras de Clapper pour ne pas m'écrouler.

Nicole Worley, cette jeune femme pétillante et pleine de compassion qui travaillait pour l'association Fish & Wildlife, aurait facilement pu se procurer un flacon de ce produit. Et j'étais persuadée qu'elle savait parfaitement comment s'y prendre pour euthanasier un animal.

109.

J'appelai Conklin afin de le mettre au courant de nos découvertes et me précipitai dans l'escalier pour regagner le rez-de-chaussée. Je trouvai mon coéquipier assis à la table de la cuisine en compagnie de Janet Worley. Des tasses vides et une assiette contenant quelques miettes étaient posées devant eux. Très pâle, Janet affichait un visage pincé.

Son mari avait disparu.

— Nigel m'a balancé un coup de poing, explique Conklin. Si les circonstances avaient été différentes, crois-moi, je lui en aurais collé une !

— Tu l'as arrêté ?

— Dans son propre intérêt.

— Où est Nicole ? demandai-je à Janet.

— Qu'est-ce que vous lui voulez ? Vous n'avez pas le droit de...

— Je n'ai pas besoin de votre permission, madame Worley. Où est-elle ?

Conklin et moi suivîmes Janet dans l'escalier principal. Les marches grinçaient sous nos pas. Je songeais à Nicole Worley, à la façon dont elle avait su garder son sang-froid lorsque nous l'avions interrogée ; cette jeune femme dont le travail consistait à venir en aide aux animaux et qui, à ses heures perdues, recevait des touristes pour leur raconter l'histoire d'Ellsworth.

Lorsque nous parvînmes au sixième étage, Janet ouvrit la première porte sur la gauche, la plus proche du fond du bâtiment.

La pièce renvoyait une odeur florale, une odeur de vieille dame. Je pressai l'interrupteur de la lumière, m'attendant à voir Nicole dans son lit ou dans un fauteuil. La pièce était vide, et semblait l'être depuis plusieurs années. Le lit était fait. La table de chevet et la commode n'accueillaient aucun objet personnel.

— Ce n'est pas sa chambre ! m'exclamai-je.

— Suivez-moi. C'est par-là, répondit Worley en me foudroyant du regard.

Elle pivota sur ses talons et se dirigea vers une petite porte de placard, dans un coin de la pièce où le plafond s'inclinait sous l'avant-toit. Elle l'ouvrit, poussa une rangée de vêtements suspendus sur des cintres, puis se baissa pour franchir une porte dérobée digne d'*Alice au pays des merveilles*.

Elle donnait sur un tunnel qui longeait l'avant-toit. J'allumai ma lampe-torche et suivis la silhouette recroquevillée de Janet Worley. Nous débouchâmes sur un palier desservant un escalier et trois portes.

Je savais parfaitement où nous étions.

Ce palier correspondait au dernier étage du 2, Ellsworth Place. Il existait donc un deuxième accès secret entre le bâtiment principal et les communs.

— Voici la chambre de Nicole, fit Janet en désignant l'une des portes. Je ne pense pas qu'elle soit là.

Je dégainai mon arme tandis que Janet toquait à la porte.

— Nicole ? Tu es là, ma chérie ?

Aucun bruit à l'intérieur.

Je me plaçai à côté de Janet et tentai d'actionner la poignée. La porte était verrouillée.

— Tu peux essayer de l'ouvrir, Rich ?

Je demandai à Janet Worley de reculer et de rester en retrait, puis Conklin enfonça la porte d'un coup de pied.

110.

Vêtue de noir des pieds à la tête, Nicole s'était retranchée entre son lit et la fenêtre, et tenait à deux mains un grand couteau de cuisine qu'elle pointait dans notre direction.

Son visage en cœur n'avait plus rien d'angélique. Elle avait les cheveux trempés de sueur et ses yeux verts semblaient figés comme l'eau stagnante d'une piscine.

Une extrême sauvagerie se dégageait de son regard fixe.

Nicole était âgée de vingt-six ans, mais sa chambre avait conservé l'aspect d'un refuge d'adolescente. Les murs étaient peints de rayures verticales qui se déclinaient en trois teintes différentes de vert, assorties aux rideaux et au couvre-lit.

Des photos de Harry Chandler tapissaient les murs, notamment un poster grandeur nature. Je remarquai un portrait en noir et blanc scotché sur le miroir de l'armoire. On pouvait y lire l'inscription, « Pour Nicole. Mille baisers. Harry. »

— Ne vous approchez pas, lâcha Nicole d'une voix rauque qui ressemblait presque à un grognement. Je n'hésiterai pas à me servir de mon couteau. Et je n'ai pas peur de sauter dans le vide.

La pièce n'avait que deux issues : la porte située derrière moi, et la fenêtre, derrière Nicole. D'après ce que je pouvais voir, elle ne disposait pas d'une vue directe sur la maison et sur le jardin. Mais, en regardant sur le côté, je me rendis compte que la vue englobait l'arrière de la maison, le patio et une frange du jardin où les crânes avaient été enterrés.

Mon regard se posa sur Nicole, qui nous dévisageait encore. Elle semblait avoir perdu la raison. Et les deux options qu'elle venait de citer ne me plaisaient pas du tout.

Mon coéquipier s'avança d'un pas.

Il ne portait pas d'arme, et il avait le bras gauche en écharpe. Quelle meilleure occasion que de recourir à son charme légendaire ?

— Personne ne veut vous faire de mal, Nicole. Nous ne voulons vous créer aucun ennui.

— C'est moi qui gère la situation, répliqua Nicole. C'est à moi de prendre les décisions.

— Je veux que vous posiez ce couteau, fit Conklin. Posez-le doucement.

Elle partit d'un grand éclat de rire hystérique.

— Et comme ça, vous pourrez me tirer dessus ? Hors de question. Je poserai le couteau quand vous serez sortis.

Là-dessus, Nicole bondit en avant.

Conklin esquissa un pas de côté et se retrouva coincé entre Nicole et moi. Je ne pouvais pas tirer. *Je ne pouvais pas tirer !*

D'un geste vif, Conklin se jeta sur Nicole, l'agrippa par les cheveux, la traîna par-dessus le lit jusque sur le sol, puis posa son pied sur sa main droite en hurlant, « Lâche ça ! ». La jeune femme n'eut d'autre choix que de s'exécuter.

Conklin repoussa le couteau du bout du pied et la força à se mettre debout.

— Arrêtez ! s'écria soudain Janet. Nicole n'a rien fait. C'est moi qui ai tué toutes ces femmes. Moi et personne d'autre.

Je menottai Nicole tandis que sa mère continuait à hurler : « Vous vous trompez ! C'est moi la coupable. Moi ! » Ses cris perçants étaient sur le point de me vriller les tympans.

— Arrête, maman, fit Nicole. Ils n'ont aucune preuve, ni contre toi ni contre moi.

— Nicole Worley, je vous arrête. Vous êtes suspectée de meurtre, déclarai-je avant de m'approcher de sa mère pour la menotter à son tour.

Je conclus en leur lisant leurs droits, puis ajoutai, à l'intention de Janet :

— Madame Worley, je vous rappelle qu'il est question de plusieurs meurtres. Je vous conseillerais de ne pas chercher à sauver l'honneur de votre fille.

Nicole s'était remise à rire, mais elle ne m'amusait pas du tout. J'avais rarement rencontré une personne aussi effrayante.

Conklin se chargea d'escorter Janet, et je poussai Nicole en direction de la porte.

Je voulais à tout prix la faire avouer.

111.

Dans le sous-sol du numéro 2, côte à côte Claire et Charlie contemplaient le congélateur.

— Qu'est-ce que tu attends, Charlie ? Noël ?

— En parlant de Noël, regarde comme les paquets sont bien emballés.

Le congélateur était rempli à ras bord de morceaux de cadavres enveloppés dans du plastique et entassés pêle-mêle.

— Cet assassin n'avait vraiment aucun respect pour les morts. Quel culot d'avoir laissé ça dans un congélateur même pas cadenassé. J'espère qu'on va trouver des preuves sérieuses.

» Dès que tu auras fini, on examinera ce congélateur sous toutes les coutures, et je te garantis qu'on trouvera des empreintes. Je les vois presque à l'œil nu. On cherchera aussi des traces d'ADN.

» Autre chose, Claire : ça risque de ne pas te plaire, mais on a besoin de savoir combien de corps il y a au total. Tu penses que tu peux faire ça ici ? Je veux dire, compter les morceaux ?

Il aurait été préférable de charger le congélateur dans une camionnette et de faire ça au laboratoire, mais s'il s'agissait d'une priorité, Claire n'avait pas le choix.

Elle se tourna vers son assistante :

— On va faire une série de cinq cents, Bunny.

— Comme si on avait affaire à un accident aérien, par exemple ?

— Exactement. Un système de numérotation appliqué aux catastrophes de ce genre. Tu sais comment ça fonctionne ?

— On utilise des numéros séquentiels en partant de cinq cents, c'est bien ça ?

— Tout à fait. Comme ça, tous les morceaux de corps seront répertoriés dans un seul et même fichier.

Bunny disposa un drap sur le sol. Dans la pénombre, sa blancheur était presque aveuglante. Clapper y déposa un morceau de corps enveloppé de plastique que Claire photographia.

Bunny défit l'emballage et étiqueta le bras avec le numéro 501. Claire le replaça sur le drap. Elle prit une série de photographies, l'enveloppa, puis un technicien le plaça dans un sac mortuaire.

Un autre drap fut étalé sur le sol et Clapper sortit un autre morceau de corps du congélateur. Étiquetage, emballage. Il y avait ainsi des dizaines de morceaux à répertorier, et Claire se rendit compte qu'il y en avait pour plusieurs heures – un travail de longue haleine qu'il faudrait ensuite reprendre au laboratoire.

Clapper déposa sur le sol une moitié de thorax, sciée dans le sens de la longueur.

Bunny laissa échapper un gémissement :

— Désolée, mais je crois que je vais m'évanouir.

— Bunny, non…

La jeune femme s'éloigna en titubant vers un coin de la pièce pour vomir, puis elle éclata en sanglots.

Claire s'approcha d'elle et lui passa le bras autour de l'épaule :

— Ça va, Bunny. Ce n'est rien.

— Si, c'est grave. J'ai contaminé la scène de crime.

— Ça peut arriver à tout le monde, tu sais. Il m'est même déjà arrivé de vomir *sur* un cadavre ! Allez, monte prendre l'air un instant.

— Non, ça va aller. Je suis ici pour travailler.

— Tant mieux, car j'ai vraiment besoin de toi. Va quand même te passer un peu d'eau sur le visage. Et téléphone à nos maris. Ce soir, on ne rentre pas à la maison.

112.

J'étais assise face à Nicole Worley dans la salle d'interrogatoire numéro un pendant que Conklin interrogeait Janet dans la pièce d'à côté.

Nos deux suspectes étaient en garde à vue et l'équipe scientifique avait largement de quoi s'occuper, mais nous attendions encore une preuve solide qui nous aurait permis d'incriminer Janet ou Nicole de façon probante.

Nicole n'avait pas demandé la présence d'un avocat, mais d'un autre côté, les tueurs en série psychopathes n'en réclament pas toujours. Certains aiment parler aux enquêteurs pendant des jours et des jours, un jeu du chat et de la souris dans lequel ils se plaisent à s'envisager comme le chat.

Je ne savais pas trop ce qu'elle mijotait, mais j'étais prête à entrer dans son jeu. Un technicien était en train de passer sa chambre au peigne fin à la recherche de preuves, et depuis maintenant plusieurs heures, Claire examinait les morceaux de corps retrouvés au sous-sol dans le congélateur.

Nicole niait avoir eu connaissance des meurtres commis à Ellsworth. Elle affirmait ne rien savoir d'autre que ce qu'elle avait appris depuis que sa mère avait appelé la police.

En revanche, un sujet la rendait particulièrement prolixe : Harry Chandler.

Elle m'expliqua avoir vu tous ses films des dizaines de fois. Ses amis « hallucinaient » lorsqu'elle leur disait qu'elle le connaissait personnellement. Elle savait ce qu'il aimait manger, se souvenait de choses marrantes qu'il avait dites.

En un mot, Nicole Worley était fan de Harry Chandler.

Voire carrément obsédée par lui.

Il était temps de passer aux choses sérieuses.

— Nous avons ouvert le congélateur, Nicole.

— Quel congélateur ? Celui du sous-sol ? Je ne m'en sers plus depuis des années.

— Nous avons relevé des empreintes digitales à l'intérieur du couvercle, mentis-je. Notre équipe est en train de répertorier les morceaux de corps que nous y avons retrouvés.

— C'est vraiment horrible, lâcha-t-elle sur un ton qui montrait bien qu'elle s'en moquait éperdument.

— Je vais aller à la morgue pour voir où ils en sont.

J'appelai Claire, qui décrocha son téléphone à la première sonnerie.

— Salut Claire. Ça progresse ?

Je me tournai vers Nicole :

— Attendez-moi. Je reviens dans un instant.

— J'ai mal à la tête, lança la jeune femme.

Je laissai Nicole assise menottée à sa chaise et descendis dans le hall d'entrée, que je traversai pour sortir par la porte de derrière. Après une petite marche rapide dans le froid, je pénétrai dans les locaux de l'institut médico-légal.

Claire m'accueillit à la porte et je la suivis jusqu'à la table d'autopsie où était étendu un morceau de corps. Elle ôta son masque :

— Je dois considérer chaque morceau comme un échantillon individuel, m'expliqua-t-elle. Je les passe aux rayons X pour repérer chaque détail qui me permettra d'identifier la personne - plaques métalliques, balles, traces de fracture.

— Tu as trouvé des choses intéressantes ?

Le morceau de corps ressemblait à une hanche qui aurait appartenu à une femme blanche de petite taille.

— J'utilise un scalpel neuf pour chaque morceau. Je les pèse et j'en fais une description détaillée. J'ai relevé les empreintes digitales sur plusieurs mains. L'une d'entre elles correspond à Marilyn Varick.

— Un élément qui pourrait nous mener jusqu'au tueur ?

— J'ai prélevé des échantillons de sang chaque fois que c'était possible, ainsi que des échantillons de tissu musculaire pour pouvoir effectuer des tests ADN.

— Claire. Claire. Est-ce que tu as quelque chose pour moi, oui ou non ? Je te rappelle que j'ai deux suspectes en garde à vue.

Claire souleva le bloc de chair pour le retourner, et pointa du doigt plusieurs traces longilignes :

— Tu vois ça ? Ce sont des coups de couteau. Ils correspondront peut-être à celui de Nicole. J'ai autre chose à te montrer.

Elle souleva un drap posé par-dessus une cuvette métallique, dévoilant un tronçon d'épaule.

— On distingue des brûlures qui auraient pu être causées par un pistolet à impulsion électrique. J'imagine que c'est l'arme qu'elle utilisait pour terrasser ses victimes.

— O.K. Je vais avoir besoin de photos.

113.

Il était 2 heures du matin lorsque je regagnai les locaux de la brigade. Conklin me rejoignit dans la salle principale.

— Harry Chandler t'attend dans le bureau de Brady, me dit-il.

— Parfait. C'est moi qui lui ai demandé de venir. On peut avoir besoin de son aide. Où est Janet ?

— En cellule. Impossible d'obtenir des réponses crédibles. Je retenterai ma chance un peu plus tard dans la matinée.

Je me rendis dans le bureau de Brady, saluai Harry Chandler et le remerciai de s'être déplacé à une heure aussi tardive.

— Ravi de pouvoir vous rendre service, sergent Boxer. Avez-vous appris quelque chose concernant Cecily ?

— Janet se dit coupable des meurtres des sept femmes dont les têtes ont été enterrées dans le jardin, mais elle est incapable de nous donner des détails concrets. De son côté, Nicole continue à affirmer qu'elle est innocente. Pour le moment, nous n'avons rien appris concernant votre épouse.

Harry hocha la tête, puis demanda :

— Janet ou Nicole ont-elles réclamé un avocat ?

— Non.

— Écoutez, Lindsay, j'ai besoin de savoir ce qui est arrivé à Cecily. Dix ans après sa mort, même si j'ai été acquitté, le public pense encore que c'est moi qui l'ai tuée. Et maintenant, les gens viennent me voir quand je suis au restaurant pour me traiter d'assassin. Ils me croient coupable de ces meurtres. Je ne peux pas continuer à vivre comme ça. C'est pourquoi je voudrais faire une proposition à Nicole et Janet, peu importe celle qui pourra désigner le tueur et fournir les preuves suffisantes pour appuyer ses dires.

Nous discutâmes un moment de son offre, puis je lui demandai de patienter.

Conklin et moi allâmes chercher Nicole, qui sommeillait dans la salle d'interrogatoire, la joue posée contre la vieille table métallique. J'envoyai un coup de pied contre la chaise et elle releva la tête. Nous prîmes place face à elle.

— Comment ça va, Nicole ? lui demanda le « gentil » flic.

— Il est tard. Je veux rentrer chez moi.

D'un geste sec, je déposai devant elle, l'une après l'autre, les photos prises à la morgue – des gros plans de bras, de jambes, de cuisses, de fesses tailladées au couteau, ainsi que d'une épaule rougie par des brûlures provoquées par un pistolet à impulsion électrique.

— Reconnaissez-vous ces morceaux de corps, Nicole ?

— C'est vraiment dégoûtant.

Je pointai du doigt les coupures visibles sur la hanche que Claire était en train d'examiner lors de ma visite :

— Ce sont des traces laissées par des coups de couteau. Et je suis certaine qu'elles correspondent parfaitement à celui que vous aviez dans la main pas plus tard que tout à l'heure. Le laboratoire est en train de les analyser.

— Que voulez-vous que je vous dise ? Faites ce que vous avez à faire.

Ses paroles étaient désinvoltes, mais l'expression de son visage avait considérablement changé. Elle commençait à comprendre que nous détenions des preuves qui allaient nous permettre de l'inculper et de la faire condamner. Son regard se posait alternativement sur les photos, puis sur moi, avant de revenir sur les photos.

— Encore quelques heures et nous aurons largement de quoi vous coincer, Nicole. Mais si vous avouez maintenant, il se peut que vous échappiez à la peine capitale.

— Vraiment ?

On sentait la résignation dans sa voix. Elle se mit à tortiller une mèche de cheveux entre ses doigts puis se renversa contre le dossier de sa chaise et leva les yeux vers le plafond. Elle était crevée, et nous l'étions aussi.

Je me levai, déplaçai la chaise de Nicole pour la forcer à baisser la tête et retournai m'asseoir face à elle.

— Regardez-moi, Nicole.

Elle secoua la tête.

— Alors écoutez-moi. Harry Chandler veut absolument savoir ce qui est arrivé à son épouse et aux sept autres femmes que vous avez tuées. Si vous avouez tout, il est prêt à payer les honoraires de votre avocat, quel qu'en soit le montant.

Je me levai pour aller ouvrir la porte. Harry Chandler entra dans la pièce et regarda Nicole droit dans les yeux du haut de son imposante silhouette :

— Le choix te revient, Nicole, mais sache que c'est une proposition qui ne se refuse pas. Tu peux bénéficier du meilleur avocat, qui saura négocier ta peine au mieux – ou bien tu peux décider de nier et d'être défendue par l'avocat que tu seras en mesure de payer.

— Tu t'intéresses à moi, Harry ? fit Nicole en tendant les bras vers lui. Dis, tu t'inquiètes pour moi ?

Pour toute réponse, Chandler recula d'un pas et quitta la pièce. Il referma la porte derrière lui.

Nicole se mit à gémir, un long cri plaintif et funèbre, puis elle essuya ses larmes d'un revers de la main et, d'une voix éteinte, déclara :

— Apportez-moi de l'aspirine. Je veux faire une déposition.

114.

C'était le début d'une nouvelle journée, un vendredi pour être exacte, et Yuki, Claire, Cindy et moi-même étions rassemblées dans le bureau de Jackson Brady.

Cindy alluma son ordinateur portable et vérifia l'état de la batterie.

— Je t'écoute, Lindsay, dit-elle en ouvrant un nouveau fichier. Nicole a parlé avec Harry Chandler : que s'est-il passé ensuite ?

— Eh bien, elle a obtenu d'être défendue par une avocate renommée. Francine Bloom, une femme splendide. Ensemble Armani à trois mille dollars, chaussures à talons de chez Ferragamo...

— Sois un peu sérieuse, Lindsay !

Claire, Yuki et moi partîmes d'un grand éclat de rire. Une réaction nerveuse et presque étourdissante liée à un soulagement immense.

Les empreintes digitales sanglantes retrouvées sous le couvercle du congélateur s'étaient révélées inexploitables, de même que les coups de couteau et les traces de brûlures. Et Janet Worley s'était refusée à dénoncer sa fille.

Peut-être Nicole aurait-elle été reconnue coupable au bout du compte, mais rien ne permettait de l'affirmer avec certitude. C'était ses aveux qui avaient réellement permis de classer l'affaire.

Yuki et Claire étaient déjà au courant de tout, et c'était à présent au tour de Cindy d'être mise au parfum. Elle méritait bien ce scoop !

— On ne se moque pas de toi, Cindy, c'est juste un rire de soulagement. Nicole a avoué les meurtres des sept femmes dont les têtes avaient été enterrées dans le jardin de la résidence Ellsworth. Elle a également avoué avoir tué Cecily Chandler.

— Oh, mon Dieu ! Mais pourquoi ?

— Parce que Harry Chandler lui a fait une offre intéressante. Et parce qu'elle pensait que nous détenions des preuves irréfutables.

— Je veux dire, pourquoi a-t-elle assassiné Cecily ?

— Elle n'avait que seize ans à l'époque où Harry et Janet ont eu une liaison. Harry a laissé tomber sa mère, et Nicole a voulu la venger. Alors un soir, elle a étranglé Cecily dans le jardin.

— Et qu'a-t-elle fait du corps ?

— Elle l'a traîné jusqu'au sous-sol, et puis elle est allée demander de l'aide à sa mère.

— Janet était donc dans le coup ? demanda Cindy tout en pianotant sur son clavier à la vitesse de l'éclair.

— Janet et Nicole ont scié le corps en plusieurs morceaux, les ont emballés dans des sacs plastique et mis dans un congélateur. Ensuite, elles se sont rendues en voiture dans la forêt de Modoc.

— C'est à, quoi ? Six heures de route ? Elles y ont enterré le corps ?

— D'après Nicole, elles ont placé les sacs sur la banquette arrière, sous une bâche. En arrivant sur une portion de route déserte, elles se sont arrêtées tous les cent mètres pour déposer les morceaux dans les bois, où ils ont été dévorés par les animaux. Janet est donc coupable de dissimulation de crime. Elle l'a fait pour sa fille, mais c'est sa famille tout entière qu'elle cherchait à protéger.

» Toujours d'après Nicole, c'est la seule fois où elle a impliqué sa mère dans son entreprise criminelle.

— Et Harry est passé en jugement pour le meurtre de sa femme, fit Yuki.

— Exactement. Et à cause des projecteurs braqués sur lui pour ce meurtre dont on l'accusait alors que c'était elle la coupable, Nicole a commencé à faire une fixation sur Harry.

» Janet et Nigel ont continué à travailler à Ellsworth, « histoire que la maison ne reste pas vide », pour reprendre les termes de Janet, et Nicole a emménagé au numéro 2.

» Elle a obtenu un diplôme en biologie, passé son permis de conduire, et continué d'entretenir un amour non partagé pour Harry Chandler en même temps qu'elle nourrissait des fantasmes de meurtre récurrents.

— Un petit instant, fit Cindy.

Je m'interrompis pour lui laisser le temps de taper son texte.

— Concernant les victimes, il s'agissait donc de touristes venues des quatre coins du monde, c'est bien ça ?

— C'est ça. De temps à autre, une fan de Harry Chandler donnait à Nicole l'occasion de revivre son premier meurtre. Elle savait lesquelles de ces femmes étaient le moins susceptibles d'être rapidement déclarées disparues. Elle a précisé qu'elle ciblait des femmes menues aux cheveux foncés qui lui rappelaient Cecily.

Claire prit la parole :

— Elle les conduisait au sous-sol en prétendant vouloir leur montrer des objets appartenant à

Chandler, puis elle les neutralisait d'un coup de pistolet à impulsion électrique avant de les égorger.

— Une méthode proche de la perfection, intervint Yuki, mais, Dieu merci, elle a commencé à devenir paresseuse et à prendre moins de précautions.

— Paresseuse, peut-être, mais elle n'est pas folle, fis-je. Elle sait discerner le bien du mal. Vous savez ce qu'elle m'a dit lorsque je l'ai conduite en cellule ? « Dites à ma mère d'être heureuse pour moi. Je me suis retirée au sommet de mon art. »

115.

Le Women's Murder Club au grand complet avait pris place à bord de mon Explorer. Nous étions en route pour régler un vieux compte.

Nous remontâmes la 7e à vive allure, traversâmes Market Street et tournâmes à gauche dans McAllister Street.

Je m'arrêtai au feu rouge. Comme prévu, plusieurs voitures banalisées étaient stationnées devant le Asian Art Museum, en face du Abby Hotel, un immeuble victorien de cinq étages aux murs couleur pêche, aux rebords de fenêtres peints en blanc. Une marquise surmontait la porte d'entrée, et un escalier de secours zigzaguait le long de la façade.

Élégant dans sa simplicité, l'hôtel se dressait face au musée, à deux blocs du City Hall. Les SDF étaient nombreux dans ce quartier, également connu pour regrouper de nombreux bâtiments officiels.

Ce jour-là, à midi, les trottoirs étaient remplis d'hommes et de femmes en costume, mallettes à la main ou tirant derrière eux des valises à roulettes, le nez dans leur iPhone.

Je me garai devant l'hôtel et nous quittâmes la voiture. Je présentai mon badge au portier, un homme à la silhouette ratatinée d'âge indéterminable, quelque part entre la cinquantaine bien tassée et les soixante-dix ans. À l'aspect de son costume, j'estimai qu'il n'avait pas dû le laver depuis au moins – jamais, à vrai dire.

Pivotant sur mes talons, je me penchai vers la fenêtre d'une voiture banalisée pour m'entretenir avec le lieutenant Meile, de la brigade des mœurs. Ce dernier cherchait à faire amende honorable : il nous avait fourni un renseignement important et la logistique qui allait avec.

Il me communiqua un numéro de chambre et ajouta :

— L'histoire nous a montré qu'il devrait y rester encore une vingtaine de minutes.

Deux flics de la mondaine, Billy Fried et Johnny Rizzo, sortirent de la voiture banalisée et nous rejoignirent sur le trottoir.

Nous pénétrâmes tous les six dans le hall défraîchi de l'hôtel, aux murs couverts de moisissures, passâmes sans nous arrêter devant l'antique cabine d'ascenseur métallique et nous dirigeâmes droit vers la cage d'escalier.

Au troisième étage, les deux flics de la mondaine prirent les choses en main et nous restâmes en retrait. Fried toqua à la porte tandis que Rizzo se plaçait sur le côté, son arme à la main.

— Police ! Ouvrez la porte ! lança Fried.

Dans la chambre, des cris se firent entendre, suivis d'un bruit de lutte. Un objet se fracassa contre le sol.

Fried actionna la poignée et, voyant que la chaîne était tirée, donna un coup de pied pour enfoncer la porte.

— Mains en l'air, Blayney ! hurla-t-il en entrant dans la pièce. Plus personne ne bouge.

Je lui emboîtai le pas et vis Jason Blayney lever les mains, laissant tomber au sol la couverture tachée qu'il avait empoignée pour dissimuler ses parties intimes. Jewel Bling, une call-girl bon marché, était encore allongée sur le lit. Elle tira le drap vers elle et s'en enveloppa. Une lampe avait été brisée par Blayney dans sa précipitation à se rhabiller et gisait sur la moquette de la chambre tapissée d'un horrible papier peint marronnasse.

— Je fais des recherches sur le milieu de la prostitution, glapit Blayney.

Au-dessus de lui, une ampoule nue se balançait au bout de son cordon, projetant une lumière crue et peu flatteuse sur son visage blême et son corps dénudé.

— Des recherches ? s'esclaffa la prostituée. Quel genre de recherches ? Le nombre de pipes que tu vas pouvoir te payer avec trente dollars ?

Munie de son appareil, Cindy s'avança dans la chambre et photographia Blayney qui tentait de se cacher derrière ses mains.

— Je veux passer un marché, fit Jewel Bling.

— La ferme ! beugla Blayney.

Il ramassa la couverture et tourna vers Cindy son visage pitoyable.

— Je vous en supplie, Cindy. Effacez ces photos et je vous jure que je vous revaudrai ça.

Je n'en revenais pas.

Cet enfoiré, qui se permettait de publier des informations mensongères dans le seul but de se faire mousser et de voir son nom affiché en première page, implorait à présent notre grâce !

— Ma femme me quittera si elle voit ces photos. Elle partira avec les enfants. Ils sont encore petits. Comment je pourrai leur expliquer un truc pareil ?

C'était plus que je n'en pouvais supporter.

— Vous êtes un hypocrite, Blayney. Sachez que l'action que nous menons aujourd'hui fait partie de notre programme de lutte contre la criminalité. Il est à vous, Billy.

Billy Fried s'approcha de Blayney pour le menotter :

— Vous êtes en état d'arrestation, mon pote. Mais pas d'inquiétude. Vous vous en tirerez avec une simple amende.

Cindy prit quelques clichés supplémentaires avec son Nikon, puis déclara :

— Je crois que j'ai votre meilleur profil, Jason. Et ne vous en faites pas, j'écrirai votre nom sans faire de fautes d'orthographe. C'est déjà ça de gagné !

116.

Rich Conklin fut tiré d'un endroit paradisiaque où la douleur n'existait plus.

Il dormait profondément lorsque Cindy lui pressa l'épaule en l'appelant d'une voix douce. Il ouvrit les yeux et vit aussitôt la naissance de ses seins – elle portait un débardeur rose très échancré.

— Si tu ne te lèves pas maintenant, tu n'auras plus sommeil ce soir, Richie.

Il adorait observer son beau visage. Une barrette ornée d'un diamant fantaisie scintillait dans ses boucles blondes avec un tel éclat qu'ils ressemblaient à de vraies pierres précieuses. Pour autant, il comptait bien un jour lui offrir un authentique diamant.

— Viens dans le lit, souffla-t-il en lui prenant la main.

Elle fronça les sourcils :

— Pas question. Allez, lève-toi.

Elle se détourna et commença à s'éloigner.

— Qu'est-ce qui ne va pas, Cin' ?

— Tu disais que tu voulais parler, lança-t-elle de loin.

— J'ai dit ça ? Oh, la semaine dernière ? Quand tu avais le nez plongé sur ton clavier et que tu ne voulais surtout pas être dérangée ?

Rich l'entendit rire dans la pièce d'à côté.

Il se redressa dans le lit et jeta un œil au réveil posé sur la table de nuit. Presque 18 heures ! Il avait passé la journée à dormir.

Il se traîna jusqu'au salon en T-shirt et caleçon, le bras en écharpe.

La table était dressée et une bouteille de champagne débouchée attendait d'être bue dans un seau à glace. Cindy était en train d'allumer des chandelles.

— Assieds-toi, mon chéri.

Il s'installa et l'observa verser le champagne dans les flûtes qu'ils avaient achetées au marché aux puces six mois plus tôt.

— Qu'est-ce qu'on fête ?

— Une nouvelle tradition.

Rich se rendit compte qu'une délicieuse odeur flottait depuis la cuisine. Il n'avait rien avalé depuis plus de douze heures.

— Une nouvelle tradition ?

— Oui. Je compte appeler ça « notre dîner mensuel ». Et j'aimerais vraiment qu'on fasse ça tous les mois. Même si je dois boucler un article urgent. Même si tu bosses sur une enquête de la plus haute importance. On a besoin de faire un break de temps en temps et de se retrouver tous les deux.

— Excellente idée, Cindy. Mais pourquoi tu as ce petit air triste ?

— Je te dois des excuses.

— Pour quoi ?

— Des pensées qui me trottent dans la tête depuis quelque temps.

— Un autre homme ?

— Non.

Cindy lui expliqua à quel point elle avait paniqué en se projetant dans cette nouvelle vie qui l'attendait avec lui. Le mariage, la maternité, sa peur de perdre sa place de journaliste titulaire.

— Je me suis un peu tenue à l'écart de notre relation, conclut-elle.

— Inutile de te torturer avec ça. (Il se leva pour aller la serrer dans ses bras.) Je veux que tu sois heureuse, Cindy. Je sais que tu es ambitieuse, et c'est ce que j'aime chez toi. Et puis sans toi, je ne suis qu'un pauvre type chiant comme la pluie.

— J'ai eu si peur quand j'ai appris que tu t'étais fait tirer dessus.

— Je sais.

— Ça m'a permis de me recentrer sur l'essentiel.

— Tu as préparé du ragoût de bœuf ?

— Et je me suis rendu compte que tu étais le mec le plus génial de la terre.

— Tu m'aimes ?

— Bien sûr que je t'aime.

— Tu as bouclé ton article pour demain ?

— Ça y est.

— Tu es enceinte ?

— Non.

— On fera un enfant quand tu te sentiras prête, et pas avant. Si tu te sens prête un jour.

— Tu veux toujours m'épouser ?

— Allez, sers-moi un peu de ce délicieux ragoût.

— Il se peut que je l'aie laissé légèrement brûler.

— Embrasse-moi.

— O.K. Ici. Et puis là. Et aussi là.

— On mange, et après on va dans la chambre.

117.

Jacobi et moi étions attablés à l'Aziza, un restaurant marocain aux murs peints de chaudes couleurs ocres, où l'on servait une cuisine familiale, épicée et savoureuse.

Mon ancien coéquipier avait bonne mine et portait un sweat-shirt bleu qui le rajeunissait. Je ne l'avais pas vu aussi resplendissant depuis bien longtemps.

— William Randall est mort sans avoir repris connaissance, me dit Jacobi. Le bon côté, c'est qu'il n'a pas pu être jugé – sa veuve continuera à toucher sa pension.

— Tu penses que Randall savait que Chaz Smith était un ripou ?

Jacobi haussa les épaules :

— Oui, c'est possible... Au fait, j'ai reçu le rapport balistique.

— Tu vas m'apprendre une mauvaise nouvelle, Jacobi ? Parce que je te préviens, je suis venue rattraper le temps perdu autour d'un bon dîner et rien d'autre.

— La balle qui a atteint Randall au niveau du rein provenait de l'arme de Brady. C'est celle-là qui a causé la mort, et vu que Brady va être arrêté pendant un bon moment, peu importe qu'on lui retire son arme et son badge le temps qu'on puisse prouver qu'il a bien tiré en état de légitime défense.

— Ne me dis pas que je vais devoir continuer à diriger la brigade, Jacobi. Je n'y tiens vraiment pas.

— C'est moi qui vais assurer le remplacement.

— Vraiment ? souris-je.

Cette nouvelle me mettait en joie.

— Seulement jusqu'au retour de Brady. Après, je regagnerai mon joli bureau avec vue sur Bryant Street.

Je lui tapai dans la main puis levai bien haut mon verre de mojito sans alcool :

— À ton retour dans l'aquarium !

Un sourire éclaira le visage de Jacobi. Nous trinquâmes, puis il partit d'un grand éclat de rire :

— N'espère pas que je vais te laisser jouer les cow-boys !

— Et toi, n'espère pas que tu vas réussir à me changer !

— Je te rappelle que tu as un bébé au four, Boxer…

— Je crois qu'on dit plutôt, « avoir une brioche au four » !

— … Et je fais partie de la famille. N'oublie pas que j'ai remonté l'allée à tes côtés le jour de ton mariage.

— Je n'ai pas oublié.

Je n'avais pas oublié la moindre minute de cette journée. Moi, au bras de Jacobi. La pluie de pétales de rose. Mon futur mari qui m'attendait sur le belvédère surplombant l'océan.

Je posai ma main sur mon ventre, le regard perdu dans le vague. Au bout d'un moment, je me rendis compte que Jacobi me dévisageait.

— Quelque chose ne va pas, Boxer ?

— Tu as été formidable ce jour-là, fis-je en lui prenant la main.

— C'était un honneur pour moi.

Je lus dans ses yeux ce que je savais déjà. Jacobi tenait beaucoup à moi. Nous étions très proches et le resterions à vie.

— Prépare-toi, Warren. Je vais faire un truc vraiment ridicule.

— Surtout pas, je t'en supplie, plaisanta-t-il.

Je me levai et contournai la table pour le serrer fort dans mes bras.

— Tu m'as manqué, lui glissai-je à l'oreille. Je suis si heureuse qu'on se soit réconciliés.

118.

C'était un dimanche matin ensoleillé. J'étais allée me promener à Mountain Lake Park et je m'amusais avec des enfants.

Enfin, c'était plutôt Martha qui jouait avec eux ; je me contentais de la siffler et de lui donner des ordres. Martha était un peu plus âgée que les enfants, qui devaient avoir dans les six ou sept ans – trois filles et un garçon.

Je la tenais par le collier, puis, à mon signal elle s'élançait alors vers les gamins qui se mettaient à crier, et courait en décrivant des cercles autour d'eux.

Je sifflais trois fois et elle revenait à mes pieds en remuant la queue, les yeux pétillant de joie.

Les gamins et leurs nourrices rigolaient, et nous devînmes bientôt l'attraction de la matinée.

D'autres chiens se mirent à aboyer. Le volume sonore et l'agitation augmentèrent d'un cran.

Des badauds réclamèrent d'autres tours et des volontaires s'approchèrent pour participer au spectacle. À la fin, Martha, toute fière, recueillit un tonnerre d'applaudissements.

Je devrais faire ça plus souvent ! songeai-je. Soudain, je ressentis une vive douleur.

Je me penchai en avant, et Martha s'approcha pour me lécher le visage. Une autre crampe succéda à la première et je me pris à envisager le pire.

Allais-je faire une fausse couche pendant mon deuxième trimestre de grossesse ? Comment était-ce possible ? *Pitié, Dieu. Faites que je ne perde pas mon enfant.*

J'attachai la laisse de Martha, adressai un sourire et un petit geste de la main aux enfants puis allai m'asseoir sur un banc à l'entrée du parc.

La batterie de mon téléphone portable était à moitié déchargée, mais il m'en restait assez pour appeler le standard de la police, mon médecin et Joe. Je ne parvins à joindre que la police.

Une voiture de patrouille arriva peu de temps après. Tom Ferrino bondit de son siège et courut vers moi.

— Emmène-moi à l'hôpital, Tommy. Je te laisserai mes clés pour que tu puisses ramener mon chien.

— Ça ne va pas, sergent ? Vous avez mal quelque part ?

Il m'aida à m'installer à l'arrière et Martha se coucha à mes pieds.

— Mets la sirène et roule le plus vite possible.

Mon téléphone sonna au moment où nous nous engagions dans Sacramento Street. L'hôpital n'était plus très loin. L'écran affichait le numéro de Joe.

— Où es-tu, Joe ?

— À l'aéroport. Mon avion décolle dans quinze minutes. Qu'est-ce qui se passe ?

— Tu retournes à Washington ?

Je l'avais perdu. Joe partait rejoindre June Freundorfer. Je l'avais mis à la porte, j'avais refusé de l'écouter, ignoré ses appels téléphoniques. De quoi m'étonnais-je ? Prise d'une nouvelle crampe, je me mordis la lèvre et agrippai l'accoudoir de toutes mes forces.

— Je suis très demandé, figure-toi, répondit-il en riant. J'ai beaucoup de succès ! Lindsay ? Je ne t'entends plus. Il y a un bruit de sirène.

— Je suis en route pour le Metro Hospital. Viens tout de suite. J'ai besoin de toi, Joe.

119.

J'étais dans mon lit, sous la couette, avec interdiction d'en bouger. Les crampes s'étaient révélées n'être que de simples douleurs ligamentaires, mais, à cause de mon état de stress, j'avais paniqué.

Joe avait annulé son voyage et était assis près de moi dans le fauteuil, les pieds sur le matelas. Je fis glisser mes doigts jusqu'à ses orteils.

— Nous étions coéquipiers à l'époque où j'étais au FBI. On a eu une aventure après mon divorce.

— Une aventure ?

— Juste une aventure.

— Tu étais amoureux ?

— Je l'ai peut-être été, oui. Mais assez vite, j'ai voulu passer à autre chose. June a très mal pris notre séparation. Et puis j'ai commencé à te fréquenter, et c'est de toi que je suis tombé amoureux.

Je sentis les larmes embuer mes yeux, mais j'étais résolue à ne pas pleurer.

— Je suis tombé amoureux de ma petite blondinette, Lindsay Boxer, la Superwoman du SFPD. June m'a questionné à ton sujet et je lui ai dit les choses franchement.

— Je vois.

— Au début, elle m'appelait souvent et il m'arrivait de discuter un peu avec elle. Par la suite, elle a obtenu une promotion et ses coups de fil se sont espacés. Deux années se sont écoulées et j'ai pensé qu'elle m'avait oublié. J'ai déjeuné deux ou trois fois avec elle, en toute amitié. Et c'est vrai, je l'ai accompagnée à cette soirée caritative. J'aurais dû t'en parler, mais je me suis dit que ç'aurait été accorder trop d'importance à quelque chose qui n'en avait pas. C'était plus simple d'aller à ce dîner et de reprendre l'avion le lendemain, tout simplement.

» Quant à savoir comment Jason Blayney est tombé sur cette photo, ça je l'ignore…

— Pourquoi June m'a dit que vous aviez une liaison ?

— Elle t'a menti, Lindsay. Je ne sais pas ce qu'elle avait en tête, mais j'imagine qu'elle a fait ça pour semer la discorde entre nous. Pour qu'on s'éloigne l'un de l'autre. Visiblement, elle n'a toujours pas renoncé à moi.

Je plongeai mon regard dans celui de Joe. Je me plais à penser que je suis douée pour repérer une personne qui ment. Joe soutenait mon regard sans ciller. J'y lisais de la franchise et de la douceur. Il posa sa main sur ma joue.

Je soulevai la couverture et tapotai le matelas à côté de moi.

Joe laissa échapper un soupir de bonheur. Il défit sa ceinture, ôta ses vêtements et me rejoignit dans le lit. Je posai doucement ma main sur son torse. Un geste timide, hésitant.

Je devais me réhabituer à sa présence.

Joe me prit dans ses bras et m'enlaça longuement. Contrairement aux miens, ses gestes n'avaient rien d'hésitant.

— Je suis à toi à deux cents pour cent, Blondie. Je suis désolé de ce qui s'est passé.

— Et moi je suis désolée de ne pas t'avoir cru.

— Il faut du temps pour construire un mariage. On n'en est encore qu'au début. C'est normal qu'il y ait des ratés de temps en temps.

Je hochai la tête et me blottis dans les bras de mon mari, le merveilleux père de mon bébé. Je m'endormis en quelques secondes. Lorsque je rouvris les yeux, Joe était encore là, endormi tout contre moi.

Je le réveillai rien que pour l'embrasser et lui dire à quel point je l'aimais. Car je l'aimais à la folie.

Remerciements

Nous tenons à exprimer nos remerciements et notre gratitude à ces grands professionnels qui ont bien voulu nous accorder un peu de leur temps et nous faire profiter de leurs compétences : capitaine Richard Conklin, commissaire au sein du Stamford Connecticut Police Department ; docteur Humphrey Germaniuk, médecin légiste et coroner dans le comté de Trumbull, Ohio ; les avocats new-yorkais Philip R. Hoffman et Steven M. Rabinowitz ; Chuck Hanni, IAAI-CFI ; Elaine M. Pagliaro, spécialiste en médecine légale, MS, JD.

Nous remercions également nos talentueuses collaboratrices Ingrid Taylar et Lynn Colomello, ainsi que Mary Jordan, *alias* « Control Tower ».

Ce volume a été composé
par Facompo

Impression réalisée par
CPI BRODARD ET TAUPIN
La Flèche
en octobre 2013

JC Lattès s'engage pour l'environnement en réduisant l'empreinte carbone de ses livres.
Celle de cet exemplaire est de :
980 g éq. CO_2
Rendez-vous sur
www.jclattes-durable.fr

Imprimé en France
Dépôt légal : octobre 2013
N° d'édition : 01 – N° d'impression : 3002402